Les Sorcières du collège

3. Amours piégées

Du même auteur
Dans la même collection :

Les Sorcières du collège
1. Coups de cœur et mauvais coups
2. Secrets de familles

ISBN : 2-7459-0892-8

Marc Cantin

Les Sorcières du collège

3. Amours piégées

Les romans de
julie

1

Au cœur du progrès

Mardi – 7 h 54

– Entrez !!!

M. Destreuil, le principal du collège Paul-Féval, est d'une humeur volcanique. Il lance un regard furieux à son nouvel ordinateur. La souris quitte le tapis qui lui est habituellement réservé. La *pauvre bête* rebondit contre une pile de dossiers, tombe du bureau et reste suspendue au bout de son fil à quelques centimètres du sol.

– Monsieur le principal ?

Louis-Hubert Destreuil se retourne en un éclair, le regard électrique. Ce n'est pas le moment de le déranger. Il a assez de soucis avec Mme Leroy qui vient d'être hospitalisée après une stupide chute dans ses escaliers.

– Qui êtes-vous ? Que voulez-vous ? s'enflamme-t-il.

– ... Heu... M. Michel. Professeur d'anglais. Je suis le remplaçant de Mme Leroy.

L'homme a une trentaine d'années. Assez grand. Les épaules larges. Les cheveux courts. Le visage néanmoins chaleureux.

– Un remplaçant ! Incroyable ! C'est le ciel qui vous envoie !

– Non... C'est le rectorat, précise M. Michel.

– Oui... Bien sûr. Le rectorat, se reprend le principal. Je leur ai envoyé un e-mail hier soir pour signaler l'absence de notre professeur d'anglais. Mais ce matin, comme je n'avais pas de réponse, j'ai pensé que ma demande de remplaçant n'avait pas été prise en compte. Ce qui m'a d'ailleurs mis, je dois l'avouer, d'assez mauvaise humeur.

– Grâce au nouveau service internet du rectorat, toutes les demandes sont traitées dans un temps record, explique M. Michel. Le logiciel désigne immédiatement les professeurs disponibles les plus proches de l'établissement demandeur.

– C'est un miracle ! s'exclame le principal.

– Non, c'est le progrès, plaisante M. Michel.

Louis-Hubert Destreuil se détend un peu. Ce professeur lui plaît. Il en oublierait presque la jambe cassée de Mme Leroy. Cette journée pourrait se terminer mieux qu'elle n'a commencé. Le principal est heureux de découvrir combien les nouveaux ordinateurs envoyés par l'Éducation nationale sont utiles et performants. Dix ordinateurs dernier modèle. Neuf, installés au CDI pour les élèves, et un pour lui, dans son bureau.

Oui, le collège Paul-Féval est un établissement de son époque : un professeur absent ; un petit e-mail, et le remplaçant est là. C'est fantastique.

– Fantastique, répète le principal. Les élèves ne prendront pas de retard sur le programme d'anglais. Voici votre emploi du temps, cher monsieur Michel. Vous commencez dans exactement... deux minutes trente-sept avec les 6e D. Ça ira ?

– Parfaitement, Monsieur le Principal. J'ai l'habitude des remplacements au pied levé.

– Alors, en avant ! Et bonne journée !

Louis-Hubert Destreuil sourit encore quand M. Michel sort de son bureau. Il se retourne vers son ordinateur et se réconcilie avec sa souris. Il repêche l'animal par la queue et le repositionne délicatement sur le tapis.

« Oui, c'est ça le progrès », songe-t-il.

2

Haute tension

Mardi – 8 h 55

– C'est vraiment trop génial ! s'exclame Jérémy en sortant du CDI.

– Qu'est-ce qui est génial ? demande Lisa en dépassant La Glu.

– Les ordinateurs ! Une heure d'informatique par semaine sur ces nouvelles bécanes, c'est top ! Je vais m'ouvrir une boîte à lettres électronique. Je pourrai communiquer avec le monde entier !

– Faudrait encore que quelqu'un ait envie de communiquer avec toi, rétorque froidement Mona.

Jérémy ne répond pas. Sa tête aurait comme une légère tendance à s'enfoncer entre ses épaules.

– Il y a de la scène de ménage dans l'air, se moque Élisabeth.

Kathy, Karine et Corinne gloussent joyeusement derrière elle.

– La ferme, les dindes ! marmonne Mona.

– Ouh ! Jérémy, tu devrais faire quelque chose avant que Mona ne réduise le collège en miettes, pouffe Élisabeth.

Regloussement.

– Tu ne crois pas si bien dire, marmonne à nouveau Mona.

– Laisse tomber, lui conseille Lisa. Ça ne vaut pas la peine de s'énerver.

Mona n'en est pas persuadée. Quel intérêt de posséder des pouvoirs si c'est pour ne pas s'en servir ? Lorsqu'on est capable de déplacer des objets à distance, la tentation de provoquer un cataclysme est grande ! Jérémy mériterait cent fois de disparaître sous les ruines du collège. Un bon tremblement de terre ; La Glu caché sous une table, appelant sa mère… Le rêve ! Voilà tout ce que mérite ce traître pour avoir fait les yeux doux à Élisabeth et sa troupe, pour ne pas avoir tenu sa langue quand Lisa et elle ont séché les cours afin de découvrir la vérité sur Boris, son père*. Quand elle songe qu'elle a failli tomber amoureuse de ce clown !

Mais la vengeance est un plat surgelé. Rien ne presse. Et pour l'instant, Mona se range temporairement à l'avis de Lisa.

Pour l'instant.

Les 5e B descendent les marches avec la discrétion d'une avalanche. Après cette première heure passée au CDI, à pianoter plus ou moins adroitement sur les nouveaux ordinateurs, la salle d'étude les attend. En arrivant ce matin, Mme Leroy était notée « absente » sur le tableau d'affichage du hall d'entrée. La désertion du professeur d'anglais est la bienvenue. Une heure à ne rien faire. Ou presque. Ce matin, inutile de se réveiller entièrement avant la troisième heure de cours. Côté cerveau, la journée débute en douceur.

Les élèves arrivent donc avec la nonchalance adéquate en face de la salle d'étude. Un pion en état de semi-hibernation – lui

* Voir *Les Sorcières du collège*, tome 2 : *Secrets de familles*.

aussi – est maintenu en position verticale grâce au soutien bienveillant de l'encadrement de la porte... Mais c'est Peau de Vache qui arrête les 5e B à quelques mètres de la salle de permanence.

– Où allez-vous ?

– Ben... En étude, répond La Glu, en tête du troupeau.

Peau de Vache sourit. Un sourire amusé, du genre « Je m'en doutais ».

– Et votre cours d'anglais ? demande-t-il avec le ton si caractéristique de la forme interrogative.

– Ben, reprend La Glu, Mme Leroy est absente.

– Ben ouais, elle est absente, reprennent en chœur les autres élèves.

– Alors j'ai une bonne nouvelle pour vous, continue Peau de Vache avec un plaisir à peine dissimulé. Elle est remplacée depuis ce matin !

– Ooooooh... meuglent les 5e B en parfaite harmonie.

– Allez, en classe ! ordonne Peau de Vache. Avancez ! Dépêchez-vous !

– Tu n'avais pas prévu ça, signale Mona à Lisa. C'est bien la peine d'avoir un don de voyance.

– Pfff, excuse-moi, mais j'ai autre chose à faire.

– Comme passer ton temps avec Freddy, lui fait remarquer Mona.

– Et alors ? C'est interdit ? se vexe Lisa.

– Tu fais ce que tu veux.

– Encore heureux.

Depuis que Jérémy l'a trahie, bernée, trompée, qu'il a cédé aux charmes d'Élisabeth, Mona est devenue très susceptible ; même si cette histoire est terminée, elle en veut à tout le monde. Y compris à Lisa.

Et Lisa commence à perdre patience. En ce moment, elle ne souhaite surtout pas que son pouvoir de voyance se manifeste : l'avenir lui semble trop noir.

Pourtant, toute cette affaire n'est pas si grave. D'accord, Jérémy a mal agi. Mais c'est la faute d'Élisabeth. Elle a profité des complexes de La Glu (coincé entre ses lunettes-pare-brise et ses cheveux dont l'entretien relève davantage du jardinage que de la coiffure) ; Jérémy a tellement besoin de se rassurer, de penser qu'il peut « plaire ». Il a seulement été naïf.

Hélas, Mona ne pardonne pas facilement. Elle fait si difficilement confiance aux autres qu'elle ne supporte pas l'idée d'être trahie. Aujourd'hui, elle se sent abandonnée. Abandonnée par Jérémy, abandonnée par son père qui l'a laissée seule avec sa mère avant même sa naissance.

Lisa est inquiète pour sa meilleure amie. Elle voudrait l'aider mais se rend bien compte de son impuissance. Et c'est peut-être ce qui la désole le plus.

A5. Rez-de-chaussée. Peau de Vache s'assure que tous les élèves sont bien entrés. Il salue M. Michel d'un signe de tête, raide, presque militaire, et referme la porte.

– Dites, il n'a pas l'air très cool, votre pion, lance M. Michel.

– Son surnom, c'est Peau de Vache, lance une voix dans le fond de la classe.

– Ça lui va plutôt pas mal, admet M. Michel.

Une vague de rire prudente survole les 5e B.

Au premier rang, Élisabeth et sa bande sont déjà toutes souriantes. Ce remplaçant, jeune et beau garçon, est un bonheur inattendu.

– Bien, poursuit M. Michel. Je remplace donc Mme Leroy. Elle en avait assez que vous lui cassiez les pieds, alors elle s'est elle-même cassé la jambe afin de prendre quelques jours de vacances bien mérités.

– C'est vrai ? s'étonne Jérémy.

– Évidemment, insiste M. Michel. Et en attendant son retour, nous allons expérimenter une nouvelle méthode d'apprentissage de la langue anglaise.

– Ça sent l'interro, se méfie Mona.

M. Michel ouvre les deux pans du tableau.

– Voici les paroles d'une des plus belles chansons d'Elvis.

– C'est qui, Elvis ? demande Corinne.

– Elvis Presley ! The King ! s'exclame le professeur remplaçant.

– Le roi de quoi ? enchaîne Élisabeth.

– Le roi... du rock and roll ! annonce M. Michel en posant un lecteur CD sur son bureau.

– Ah ouais, ma mère écoute ça, se souvient soudain Jérémy.

– Ta mère a d'excellents goûts, juge M. Michel. Il faudra que tu me la présentes. Et maintenant : MUSIQUE !

Dès les premières notes, les hanches de M. Michel tanguent langoureusement de droite à gauche. Il pointe le doigt vers le premier couplet, et les 5e B mugissent en chœur :

« *LOoooo-o-o-ve miii tendeuuure, looove miii souiiit nééveuuur laite miii goooooooo… Iiou ave maiiide maï laïfff complaite ande aïe looove youuuuuuuu…* »

Le résultat est surprenant. Une sorte de brame aigu, saupoudré de quelques piaillements d'oiseaux, régulièrement nourri par des éclats de rire.

« *LOoooo-o-o-ve miii tendeuuure, looove miii trouuuuuu… Ooole maï driiim… sss… fouuule fiiiill faure maï darrrling aïe looove youuuuuuuu…* »

M. Michel ne semble pas s'en préoccuper. Il passe dans les rangs pour encourager les chanteurs et donne lui aussi de la voix, sans oublier d'augmenter le volume du lecteur

CD afin qu'Elvis ne sombre pas totalement dans l'oubli.

« *Aïe looove youuuu ande aïe aulouaize ouiiiiilllllllllll...* »

– Ça, c'est du rock and roll ! assure M. Michel à la fin de la chanson.

– Et les paroles ? Vous pouvez les traduire en français ? demande Kathy.

– Ah... Les paroles, fait simplement M. Michel.

– Je te l'avais dit : ça sent l'interro, rappelle Mona.

– Je crois que tu as vu juste, admet Lisa.

– C'est une chanson d'amour, reprend M. Michel en se rapprochant de Kathy. Ça veut dire... « Tu es la plus belle, la seule qui compte pour moi, mon rêve éveillé, ma raison de vivre... »

Kathy devient plus rouge qu'un extincteur. Elle frôle la combustion spontanée.

– Mais il ne faut surtout pas les traduire en français. Il faut les sentir vibrer en toi, en anglais. Pense à l'amour... Et écoute.

M. Michel appuie une nouvelle fois sur « Play ». Il attrape la règle accrochée à droite du tableau, s'en sert comme d'un micro.

Et c'est reparti :

« *LOoooo-o-o-ve miii tendeuuure…* »

Dialogues de sourds

Mardi – 10 h 05

– Tu veux un pain au chocolat ?

– Non, merci.

– C'est pour financer le voyage scolaire des quatrièmes en Angleterre, insiste Manu.

Mona lui lance un de ces regards noirs dont elle a le secret et ajoute :

– Tu as des problèmes d'audition ? J'ai dit non !

Le quatrième recule d'un pas, sa caisse de pains au chocolat dans les bras.

– C'est bon, te fâche pas, se reprend-il. Si tu préfères, j'ai aussi des pains aux raisins.

– T'es vraiment bouché, toi, marmonne Mona en posant son index sur sa tempe.

La caisse de viennoiseries glisse des mains de Manu. Lisa arrive juste à temps pour rétablir la situation.

– Alors, Manu, une petite faiblesse ? lance-t-elle.

Le quatrième, un peu gêné par sa maladresse, bafouille :

– Heu… La caisse m'a échappé. Merci.

Lisa lui sourit gentiment avant de froncer les sourcils en direction de Mona.

– Super ! Des pains au chocolat ! s'exclame Jérémy en rejoignant le groupe. C'est combien ?

– Cinquante cents, annonce Manu.

– Quand il s'agit de se bâfrer, t'es toujours là, lance Mona. Ça ne m'étonne pas qu'il suffise de te mettre une carotte sous le nez pour te faire avancer comme un âne !

Jérémy devine facilement à quoi Mona fait allusion. Pour autant, il n'est pas décidé à se laisser faire :

– Une carotte ?… Tiens, Manu, tu n'en aurais pas quelques kilos pour Mona ? Il paraît que ça rend aimable !

– Je ne suis peut-être pas aimable, réplique Mona, mais moi, on peut me faire confiance.

– Holààà ! intervient Lisa. Du calme, les amoureux. Vous n'allez pas rabâcher sans arrêt ces vieilles histoires.

– Explique ça à Mona, propose Jérémy.

Manu empoche la pièce que lui tend La Glu et en profite pour s'éloigner. La cour est pleine de clients plus accueillants.

– Hé, Lisa ! appelle Freddy. On peut se voir ?

Lisa adresse un signe amical à son petit ami :

– J'arrive. Dans deux minutes.

Freddy, décontracté et souriant, s'approche tranquillement.

– C'est à propos de mercredi, chuchote-t-il à l'oreille de Lisa. J'aimerais te proposer une balade.

– Oui. D'accord. Attends-moi deux minutes.

Jérémy, lui, attaque son pain au chocolat à pleines dents.

– Tu devrais auch'i échayer le chocolat. Ch'est un euphorichant, signale-t-il à Mona.

– Commence par vider ta bouche, réplique-t-elle. J'aimerais autant être tenue à l'écart de ton processus de mastication.

– Ça suffit, tous les deux, reprend Lisa. Vous êtes ridicules. Mona, tu sais très bien que Jérémy n'a jamais voulu nous trahir. Il s'est laissé berner par Élisabeth. Ça ne se reproduira plus.

– Vas-y ! Prends sa défense ! s'offusque Mona.

– Je dis seulement la vérité ! D'accord, il a été naïf. Mais essaye de lui pardonner. Tout le monde fait des erreurs.

– C'est vrai, renchérit Jérémy.

– Lisa ? Tu viens ? s'impatiente Freddy.

– Mais attends ! Tu vois bien que suis en train de parler ! s'énerve Lisa.

– C'est bon ! Ne te fâche pas. Je peux très bien aller me balader tout seul demain, se vexe Freddy.

– Tu vois, reprend Mona avec une amabilité assassine. À cause de toi, La Glu, Lisa et Freddy se disputent.

– Hé ! Je n'ai rien à voir dans leurs histoires ! se défend Jérémy.

– Stop ! reprend Lisa. Ne commencez pas à tout mélanger…

– Je ne mélange rien, proteste Mona. Je dis seulement la vérité !

Freddy pousse un long soupir et s'éloigne de quelques pas. Comme si Mona et Jérémy ne pouvaient pas régler leurs affaires tout seuls. Freddy en a assez. Mona est têtue comme un caillou, Jérémy joue les martyres et Lisa l'infirmière des cœurs brisés.

Joyeux programme.

– Salut Freddy, lance Élisabeth d'une voix suave.

– Salut, répètent d'un même son de cloche Kathy, Karine et Corinne.

– Hello ! répond Freddy.

– Alors, tu es courant pour le remplaçant de Mme Leroy ? demande Élisabeth.

– Au courant de quoi ?

– Lisa ne t'a rien dit ? C'est un fan d'Elvis Presley. On vient de passer une heure avec lui à chanter. Ce prof est génial !

– Il a une super pêche, juge Kathy.

– Pas d'interro en vue ? se méfie Freddy.

– Il s'agit d'une nouvelle méthode, le rassure Élisabeth. Pas de notes.

– C'est cool, apprécie Freddy. On a cours avec lui après la récré. Je vais peut-être commencer à aimer l'anglais !

Élisabeth fait entendre son rire gallinacien, immédiatement amplifié par celui de ses congénères. De loin, Lisa garde un œil sur son petit ami mais refuse d'abandonner son projet de réconciliation.

– Maintenant, vous allez m'écouter, lâche-t-elle en pointant un index décidé vers Mona et Jérémy.

– Salut, la coupe Pierre-Louis. Alors, il paraît que le remplaçant de Mme Leroy mérite le détour ?

Mona retrouve aussitôt le sourire :

– Tu ne vas pas être déçu, dit-elle. Enfin, si tu aimes The King.

– Kescékça ? s'étonne le fils du principal.

– Le roi du rock and roll. Tu ne connais pas ? Peut-être que ton père l'écoute encore, plaisante Mona. En cachette, bien sûr.

– Mon père, c'est plutôt Bach, Mozart et autres champions du clavecin. Mais je vérifierai, promet Pierre-Louis. Et je te dirai ce qu'il en est.

Cette fois, Mona sourit franchement.

– La-men-table, soupire Jérémy, dépité.

La sonnerie annonce la reprise des cours.

Les 5e A sont impatients de découvrir ce fameux M. Michel, ami d'un certain Elvis. Une partie de la classe affirme qu'il y a un piège : l'interro surprise n'est pas loin. Les autres se préparent à passer une heure de franche rigolade.

Lisa agite une main tardive en direction de Freddy. « On se voit ce midi ? Près du ref… Oui ?… Non ?… On s'attend, hein ? »

Pas facile de communiquer à distance.

Ses épaules retombent mollement.

Elle rejoint Mona et les autres 5e B.

4

Un peu de sport

Mardi – 10 h 25

M. Michel ouvre le cahier d'appel.

– Bon, annonce-t-il. À la lecture de votre nom, vous répondez « yes » si vous êtes là, « no » si vous êtes absent. Compris ?

Rires étouffés des 5e A. Les noms défilent. Certains en profitent pour annoncer leur absence ; et s'inquiètent très vite du manque de réaction de leur professeur. « Hé, m'sieur, je suis là, en vrai ! »

Décidément, ce remplaçant n'est pas ordinaire.

– *Yes*, répond Pierre-Louis quand vient son tour.

– Pierre-Louis Destreuil, répète M. Michel. C'est bien toi le fils du principal ?

– *Yes*, confirme Pierre-Louis.

– C'est bon, tu peux parler français. On n'est pas en Angleterre.

– Bien m'sieur.

– OK, Pierrot. On laisse tomber l'appel. Que penserais-tu d'une petite partie de ping-pong ?

– Pardon ?

– Bien sûr, nous compterons les points en anglais. On n'est pas là pour rigoler. Tu sais compter jusqu'à vingt et un ?

– *One, two, three, four...* commence à réciter Pierre-Louis.

– D'accord, c'est bon. Garde tes forces pour le match.

M. Michel sort de son sac un filet de ping-pong. Règle en main, il sépare son bureau en deux parties parfaitement égales. Puis il installe le filet au-dessus du trait qu'il vient de tracer à la craie.

Les élèves observent chacun de ses gestes dans un silence quasi religieux.

Le professeur pose une raquette de chaque côté du terrain et envoie la balle à Pierre-Louis.

– Alors, Pierrot, je t'attends.

– *Yes*, fait Pierre-Louis en se dressant comme un automate.

– Qui prend le gagnant ? interroge M. Michel.

– Moi ! dit aussitôt Freddy en levant le doigt.

C'est peut-être la première fois de l'année qu'il lève le doigt. La méthode peu conventionnelle de M. Michel porte déjà ses fruits !

– *Ready* ? demande Pierre-Louis en s'emparant de la raquette.

– Quand tu veux, bonhomme, renvoie le professeur.

Genoux fléchis, corps en avant, il se prépare à recevoir le service du fils du principal.

– Ce mec est trop cool, murmure Freddy à son voisin.

– Ouais, mais à mon avis, c'est un as du ping-pong. Tu vas avoir du mal à le battre.

– Qu'est-ce qu'on parie ? sourit Freddy.

– Zéro-*two*, compte Pierre-Louis en préparant son troisième service.

5

À table !

Mardi – 12 h 15

– Je peux manger avec vous ?

Jérémy tient son plateau à deux mains. La saucisse posée sur un lit de purée ne tremble pas. Ni les carottes râpées. Ni le fromage blanc. Jérémy s'apprête à s'asseoir en face de Lisa, juste à droite de Mona.

– C'est réservé, grogne Mona.

La Glu ne se démonte pas.

– Excuse-moi, dit-il simplement. Je l'ignorais.

Il contourne poliment Mona pour s'installer à sa gauche, sur une chaise également vide.

– Réservé aussi, regrogne-t-elle.

– Tu rigoles ? espère Jérémy.

– J'ai l'air de plaisanter ? demande Mona en relevant vers lui des yeux qui répondent déjà à la question.

Jérémy n'insiste pas. La saucisse, les carottes râpées, le fromage blanc… Son alléchant menu commence à s'agiter. Il se dépêche de s'asseoir à la table suivante, sans même remarquer qu'Élisabeth et ses amies sont installées à l'autre bout.

– C'est ça, va rejoindre tes p'tites amies, marmonne Mona.

– Tu exagères, lui lance discrètement Lisa. Jérémy n'arrête pas de faire des efforts, et toi tu l'envoies balader !

– Justement. Qu'il aille se promener ailleurs. Loin de moi, si possible.

– Tu es injuste, Mona. Si tu étais moins orgueilleuse…

– Tu pourrais peut-être te mêler de tes oignons, suggère Mona.

– Tiens ! Maintenant, tu vas t'en prendre à moi ! Bientôt, se sera ma faute si tu n'as plus de petit ami !

– Si c'est pour dire n'importe quoi, tu ferais mieux de te taire, Lisa.

– J'ai encore le droit de dire ce que je veux !

– C'est ça. Passe-moi plutôt un morceau de pain.

– Tu pourrais le demander plus gentiment ?

– Je pourrais, mais j'en ai pas envie.

– Ça a le mérite d'être clair.

– C'est bon, laisse tomber, je vais me servir moi-même.

Mona tend le bras et attrape une rondelle de pain.

– Qu'est-ce qui me vaut l'honneur de ce sourire idiot ? soupire-t-elle.

– Tu viens de mettre ton coude dans ta purée ! pouffe Lisa.

Mona ne partage que de très loin l'humour de son amie.

– Je parie que tu l'avais prévu ! enrage-t-elle. Et tu ne m'as rien dit !

– Quelle imagination, note Lisa.

– Tu as tout fait pour que j'attrape ce morceau de pain !

– On n'est jamais aussi bien servi que par soi-même, assure Lisa.

– Salut. Je peux m'asseoir avec vous ?

Mona lève la tête vers Pierre-Louis. Le plateau du garçon tangue dangereusement. Et ses joues prennent une attachante couleur saignante.

– Mais bien sûr, répond aussitôt Mona en tirant la chaise à côté d'elle.

À la table voisine, Élisabeth ne perd pas une miette du spectacle :

– Mona et Pierre-Louis ont l'air de bien s'entendre… N'est-ce pas, Jérémy ?

La Glu ne répond pas. Mais c'est seulement parce qu'il a de la purée plein la bouche. Une fois qu'il a retrouvé un usage correct de la parole, il s'empresse de faire le point sur la nature des relations qu'il entend entretenir avec Élisabeth.

– À part le ténia, et encore, je ne crois pas qu'il existe sur terre une forme de vie plus répugnante que toi !

– Oh ! Comme tu es cruel, Jéré' ! se moque Élisabeth. Venant d'un têtard gluant à lunettes, ça me vexe terriblement !

Le niveau de chaleur interne de Jérémy vient d'augmenter de trois degrés. Son sang bouillonne, mijote, accroche quelque peu au fond de la marmite.

– C'est à cause de toi que Mona ne veut plus me voir, lui rappelle Jérémy. Alors tu ferais mieux de la mettre en veilleuse.

– J'ai seulement révélé ta véritable personnalité de… tombeur ! pouffe Élisabeth.

Kathy, Karine et Corinne ne résistent pas à cet humour savoureusement cynique. Leurs rires aigus, à peine étouffés dans le creux de leur main, déclenchent chez Jérémy un désir naissant d'homicide parfaitement volontaire. Sa fourchette dans une main, son couteau dans l'autre : les menus du self deviendraient à coup sûr plus attrayants si l'on y intégrait une ou deux recettes pour anthropophages.

Près de l'entrée de la salle réservée aux professeurs, M. Michel observe la scène avec intérêt. Il arrête Freddy qui s'apprêtait à rejoindre une table :

– Dis, Fred, le petit Pierrot n'a pas l'air comme ça, mais c'est un sacré dragueur.

Freddy approuve d'un signe de tête nerveux.

– Remarque, quand on est le fils du principal, on peut tout se permettre, ajoute le professeur remplaçant.

– C'est un ringard, gronde Freddy.

– Il paraît qu'il a fait les yeux doux à Lisa avant de s'intéresser à la copine de Jérémy... Il ne manque pas de culot. Franchement, il mériterait une bonne leçon.

– C'est certain.

– Hélas, personne n'aurait assez de cran pour remettre le fils du principal à sa place, soupire M. Michel. Allez, bon appétit, Fred.

Le professeur disparaît dans la salle où mangent les enseignants.

Freddy traverse le réfectoire comme une flèche et vient de s'asseoir à côté de Lisa. En face de Pierre-Louis. Il lance un regard haineux au fils du principal.

– Qui va à la chasse, perd sa place, dit-il sur un ton agacé.

– Pourquoi dis-tu cela ? demande Pierre-Louis.

– Je me comprends, fait Freddy en se tournant vers Lisa.

– Je suis tout à fait de ton avis, insiste la meilleure amie de Mona. Le malheur de *l'un* semble faire le bonheur de *l'autre*. Surtout quand *l'autre* n'a pas beaucoup de scrupules et…

Elle n'a pas le temps de terminer sa phrase. La purée s'échappe de sa fourchette et atterrit affectueusement sur ses genoux.

– Comme tu es maladroite, souligne Mona avec un rictus moqueur aux coins des lèvres.

Son index glisse discrètement de sa tempe à sa joue.

– Alors là, tu vas me le payer, menace Lisa en relevant la tête.

Sa fourchette replonge aussitôt dans son assiette de purée. Le projectile part comme un éclair. Une étoile filante jaune et gluante que Mona évite de justesse en se jetant contre Pierre-Louis.

La purée termine sa course sur la nuque de Jérémy.

– Ha ! Ha ! Ça, tu l'avais pas prévu, pouffe Mona.

– Qui ? Qui a fait ça ? hurle La Glu en décollant la purée de son cou.

– C'est Lisa ! cafte sans complexe Pierre-Louis.

– On reconnaît les traîtres, enrage Freddy.

La main droite de Pierre-Louis dépasse sa pensée. Cette fois, c'est une fusée orange. La cuillère de carottes râpées à la mayonnaise atteint Freddy au milieu du front.

Jérémy s'est levé, son verre d'eau à la main.

– Vise bien, l'encourage Élisabeth en pointant son index vers Lisa.

Au dernier moment, Jérémy change de cible. Il pivote d'un quart de tour : Élisabeth et Karine goûtent aux désagréments d'une averse inattendue. Freddy, lui, a déjà bondi au-dessus de la table. Il pose sa main sur le haut du crâne de Pierre-Louis et lui écrase le visage dans son assiette soudain débordante de purée.

– Lâche-le ! Espèce de brute ! intervient Mona.

Mais au même instant, une saucisse volante choisit sa joue comme terrain d'atterrissage. Mona n'a aucun doute sur l'origine du projectile. D'un simple regard, elle fait basculer la cruche remplie d'eau sur les genoux de

Lisa. Une cruche identique à celle que brandit Élisabeth. Jérémy attend le dernier moment pour disparaître sous la table : c'est Freddy qui se fait arroser. Du coup, il libère Pierre-Louis, rempli de purée jusqu'à l'intérieur des narines. Il racle le fond de son assiette à pleine main. Son tir manque de précision. Mais une bonne partie des multiples projectiles atteignent tout de même leur cible.

Élisabeth, Kathy, Karine et Corinne arborent un joli maquillage moucheté de jaune.

– Bande de débiles ! crie Élisabeth.

Avant de glisser discrètement à Kathy :

– Va chercher Peau de Vache.

Dans le réfectoire, après la surprise, les encouragements vont bon train. Quelques-uns se sont écartés de la zone de conflit. Les autres applaudissent :

– Vas-y Freddy !

– Allez La Glu !

– Te laisse pas faire, Mona !

Mona n'a pourtant pas besoin d'encouragements. Elle vient de récupérer deux tasses de fromage blanc qui alimentent goulûment sa cuillère transformée en catapulte. Une pour Lisa, une pour Freddy. Une pour Lisa... Pauvre Lisa, couverte de fromage blanc mais qui riposte malgré tout avec ses derniers morceaux de saucisse. Les yeux de Pierre-Louis réapparaissent sous la purée. Le fils du principal n'est pas en reste. Il trouve sur son propre visage suffisamment de munitions pour rendre à Freddy ce qu'il lui a si gentiment donné.

Quant à Jérémy, debout sur la table, il distribue tout ce qui lui tombe sous la main : fromage, purée, carottes râpées, saucisses, eau, pain. Et dans toutes les directions. La Glu ne cherche pas à atteindre une cible en particulier. C'est le monde entier qu'il veut frapper de sa colère. Il envoie, reçoit, renvoie... Pris d'une sorte de frénésie libératrice, il canarde tout ce qui bouge et aussi ce qui ne bouge pas, avec une préférence, tout de même, pour Élisabeth qui a trouvé un refuge bien fragile sous sa chaise.

Puis les divers aliments atteignant leurs cibles de façon de plus en plus improbable, c'est bientôt tout le réfectoire qui participe à la *dégravitation* de cette nourriture volante devenue difficilement identifiable !

Par la porte entrebâillée de la salle des professeurs, M. Michel pose un regard satisfait sur ce joyeux bazar.

6

Sanctions au menu

Mardi – 13 h 10

Le bureau de Louis-Hubert Destreuil est victime d'un curieux phénomène de surpopulation. Mona, Lisa, Freddy, Jérémy et Pierre-Louis se serrent devant le principal. Chacun d'eux portant, avec une dignité mesurée, les stigmates de la bataille déchaînée déclenchée au self.

– J'attends vos explications, demande posément M. Destreuil.

– C'est Li…

– Jérémy a…

– Non !

– Menteur !

– C'est à cause de Mo…

– Pierre-Louis est…

– Freddy aussi…

– STOP !!! ordonne le principal. Ne parlez pas tous en même temps !

– Et d'abord, reprend Mona. Pourquoi Élisabeth n'est pas ici ? Et Kathy ? Et K…

– Kathy, fort judicieusement, a aussitôt prévenu le surveillant, la coupe le principal. Quant à Élisabeth et ses autres amies, c'est grâce à elles et à un professeur présent sur les lieux que Peau d… euh, M. Jollivet a réussi à démasquer les responsables de ces actes odieux et inqualifiables. C'est-à-dire : VOUS !

– Je vois qu'on encourage la délation dans ce collège, note Pierre-Louis.

– Parfaitement ! Quand les coupables n'ont pas le courage d'assumer leurs actes, il faut bien découvrir la vérité par d'autres moyens, corrige le principal.

– C'est bon, avoue Mona. C'est moi qui ai commencé.

– Non, en fait, c'est moi, reprend Lisa. Nous nous sommes disputées et…

– Attendez, c'est ma faute, intervient Pierre-Louis. Je n'aurais jamais dû…

– Mais non. C'est moi qui ai mal réagi, assure Jérémy.

– Pas du tout, proteste Freddy. Je me suis emporté et…

– STOP !!! commande à nouveau le principal. Je vais donc considérer que vous êtes tous responsables. Et il est inutile de vous excuser : votre conduite est impardonnable !

Silence.

Louis-Hubert Destreuil regarde tour à tour les élèves debout devant lui. Les yeux se baissent. Les doigts se nouent et se dénouent.

– Vous allez prévenir nos parents ? demande timidement Mona, comme si ce n'était déjà plus une question.

– Vous allez nous renvoyer ? prévoit Freddy comme s'il pouvait deviner l'avenir.

Le principal résiste vaillamment à un brusque élan d'indulgence. Une tentation de rassurer ces élèves qu'il connaît si bien.

Sa voix est déjà plus douce :

– Je sais que vous avez été bouleversés par les événements survenus le mois dernier. Mona n'a toujours pas de nouvelles de son père, et nous espérons tous que cette histoire se terminera bien. Pour toi, Mona, et pour ta maman.

– Ouais. On est avec toi, Mona, affirme Pierre-Louis.

Jérémy lui jette un regard en coin.

– Néanmoins, reprend le principal, vous devrez assumer les conséquences de vos actes.

« Aïe ! » pense Lisa.

– ...Vous viendrez donc en retenue tous les cinq demain matin. Déposez vos carnets de liaison sur mon bureau, j'écrirai un mot pour vos parents. À faire signer ! Vous repasserez prendre vos carnets avant de quitter le collège. Des questions ?

(Re) silence.

Louis-Hubert Destreuil regarde les carnets s'empiler sur son bureau. Il aurait apprécié qu'on lui dise qu'il avait été juste. Pas trop dur. Un bon compromis entre autorité et humanité. Hélas, rien. Pas un mot. Le principal reste derrière son bureau avec ce soupçon d'incertitude.

Les élèves sortent les uns après les autres. Referment la porte.

Attendent d'être dans le couloir pour échanger leurs impressions :

– Une matinée de colle, blêmit Jérémy. Et mes parents qui vont être au courant…

– On ne s'en tire pas si mal, remarque Freddy.

– Il aurait pu être plus vache et nous sacquer à mort, approuve Lisa.

– Ton père est vraiment quelqu'un de bien, glisse Mona à l'oreille de Pierre-Louis.

– On fait pire, admet le fils du principal.

7

Soupçons

Mardi – 17 h 05

Lisa sort du collège.
Seule.
Mona est introuvable. Volatilisée.
Elle ne va pas l'attendre cent sept ans. Elle a autre chose à faire…
Lisa quitte le collège.
Toute seule.
C'est peut-être mieux ainsi. Cette histoire avec Jérémy la met hors d'elle. Et Pierre-Louis qui profite de la situation, c'est insupportable.
– On rentre ensemble ? l'arrête Freddy.
Lisa hésite une seconde. Une seconde seulement. Ce soir, elle sait qu'elle ne sera pas de bonne compagnie. Mona, Jérémy, Pierre-

Louis, puis ce drôle de remplaçant, M. Michel. Tout le monde le trouve « super génial ». Freddy compris. Il ne tarit pas d'éloges à son sujet. Surtout depuis que les cours d'anglais ont été remplacés par des matchs de ping-pong. Franchement, c'est n'importe quoi ! Tout le monde devient fou dans ce collège. Ce qui s'est passé à midi au self en témoigne.

– Alors ? Je t'accompagne ? tente une nouvelle fois Freddy.

Lisa aimerait réfléchir à tout cela.

Tranquillement.

– Au fait, Mona n'est pas avec toi ?

– Si c'est pour me parler de Mona, je préfère rentrer seule, grogne Lisa.

– Pardon ! Ce n'est pas ce que je voulais dire, s'excuse Freddy.

Au contraire. Pour une fois que Mona n'est pas dans les parages, il considère que c'est plutôt une chance.

– Désolée, fait Lisa. Cette journée était un peu difficile. En plus, je ne vais pas passer une très bonne soirée. Mes parents risquent de ne pas apprécier les trois heures de colle.

– Ça peut arriver à tout le monde, témoigne Freddy.

– Tu ne m'en voudras pas, j'espère, de manquer d'expérience en la matière.

– Ce n'est pas une critique, je voulais seulement…

– Laisse tomber, Freddy. Je suis sur les nerfs. À demain.

Lisa s'éloigne.

Elle laisse Freddy, le collège et toutes ses histoires derrière elle. La solitude sera son remède. L'unique solution pour vider sa tête trop pleine.

Elle remonte l'avenue de l'Europe, appréciant la trêve relative que lui accorde son cerveau. La circulation est dense à la sortie du collège. Une voiture se laisse tenter par le couloir de bus, aussitôt rappelée à l'ordre par le klaxon d'un chauffeur pas très partageur. Les piétons attendent leur tour pour traverser, impatients, les yeux rivés sur le trottoir d'en face.

À une vingtaine de mètres devant elle, Lisa reconnaît M. Michel.

Il avance d'un pas rapide. S'éloigne déjà. Une lumière aveuglante éblouit Lisa. Le visage de M. Michel apparaît. Il arbore un sourire moqueur. « Hé, hé ! c'est un coup facile. Aucun risque. » Sa voix résonne comme dans un tunnel. « Un max de fric à se faire. »

– Aïe ! s'écrie Lisa en revenant à elle.

Elle vient de heurter une passante de plein fouet. Une femme âgée. Un sac en osier à la main.

– Tu sembles encore plus étourdie que moi, dit-elle, amusée.

– Où est-il ? se reprend Lisa.

– Qui ça ? s'étonne la femme.

Lisa vient de le repérer. Il s'engage dans une rue perpendiculaire à l'avenue.

– Excusez-moi, m'dame.

Lisa se lance à la poursuite du professeur remplaçant. Elle s'arrête à l'angle de la rue, cachée derrière les présentoirs d'un magasin de chaussures. Elle passe discrètement la tête de l'autre côté. M. Michel traverse la rue et entre au Bis-Trot – PMU.

« Drôle d'endroit pour un professeur d'anglais, songe Lisa. À moins que ce ne soit un passionné de courses de chevaux. »

Elle s'engage sur le trottoir, traverse à son tour la rue et s'arrête à côté de la vitrine du café. Entre les autocollants vantant les différentes façons de parier sur un cheval, elle distingue M. Michel, assis sur un tabouret de bar, au comptoir. Il lui tourne le dos et discute avec deux hommes. Plutôt jeunes. Une vingtaine d'années, peut-être. Le premier a les cheveux rasés, et l'œil droit alourdi par une cicatrice à l'arcade sourcilière. Le second affiche des tatouages sur les avant-bras et un nez aplati, du genre boxeur fatigué qui aurait passé une mauvaise soirée.

« Étrange compagnie », juge Lisa.

M. Michel griffonne quelque chose sur une feuille de papier. Lisa colle son visage à la vitrine, entre le « é » et le « + » de « Quarté + ». Le professeur remplaçant lève sa feuille pour évaluer le résultat de son travail. Il semble satisfait.

– Un... plan... murmure Lisa.

M. Michel tend la feuille aux deux hommes qui la détaillent avec intérêt. Il leur donne des indications, commente le dessin.

– Un plan du collège ! s'écrie Lisa.

Le buste de M. Michel pivote lentement. Puis son cou. Sa tête. En un éclair, Lisa le voit déjà se retourner vers elle. D'un bond, elle s'écarte de la vitrine. Affolée, elle commence à courir. De plus en plus vite. Elle slalome entre les passants. Les idées se bousculent dans sa tête. « M. Michel prépare un mauvais coup. Au collège. Il a des complices. Mais je n'ai pas de preuves. Seulement des soupçons. Juste un plan. Un dessin sur une feuille de papier. Après tout, c'était peut-être pour leur indiquer une route. C'était peut-être des voyageurs. Mais pourquoi cet étrange pressentiment ? »

Lisa ne sait plus quoi penser.

Elle doit se calmer.

Sinon ses pouvoirs ne lui serviront à rien.

Se calmer.

Elle parvient enfin à ralentir. À marcher. À reprendre son souffle.

Si au moins Mona était là. Elle pourrait lui raconter ce qu'elle a vu. À deux, elles y verraient plus clair.

Lisa se sent seule.

Toute seule, elle longe le square Cervantès. Les jeux pour enfants. Les bancs où se serrent des mères bavardes. Elle retrouve les rues de son quartier. Sa maison, le numéro 8 du passage St-Éloi. Les trois marches du perron.

Lisa attrape sa clé dans la pochette avant de son sac.

Elle ouvre la porte.

La maison est vide. Sa mère n'est pas encore rentrée. Lisa n'a pas envie de rester seule. Un frisson tenace s'accroche à son dos et personne n'est là pour la rassurer.

« Papa, pense-t-elle. Il est sûrement dans son atelier. »

Elle ressort par l'arrière de la maison et traverse le jardin. La porte de l'atelier est entrouverte. Elle s'approche. Aucun bruit : pas de doute, c'est la marque d'un grand artiste ! « Pendant que certains se fatiguent au collège, d'autres se la coulent douce à la maison. » Lisa s'attend à trouver son père, à moitié endormi sur son bureau, crayonnant rêveusement un ambitieux projet de sculpture qu'il ne réalisera jamais.

– Salut P'pa ! Je te réveille ?

Gérard sursaute. Lisa s'avance vers lui, pour l'embrasser. Il referme à la hâte un carton posé sur son bureau. Des lettres aux entêtes tricolores sont encore empilées à côté.

– Euh... Salut ma chérie !

– Qu'est-ce que tu fais ?

– Eh ben... Du rangement. C'est fou tout ce qu'on peut conserver et qui ne sert à rien.

– Ce sont des lettres de l'armée, remarque Lisa.

Gérard se dépêche de les remettre dans le carton.

– Oui, avoue-t-il. Des vieux papiers, du temps où j'étais militaire.

– Mais au fait... Que faisais-tu exactement là-bas ? demande Lisa en s'approchant du bureau.

– C'est-à-dire... Ce que font tous les militaires, répond Gérard.

– Tu portais une arme ?

– … Non… Je travaillais… plutôt dans les bureaux. Dans l'administration, les papiers, tout ça.

Lisa note la contradiction :

– Oui, comme *tous* les militaires.

– Comme ceux qui travaillent dans les bureaux. C'est ce que je voulais dire, précise Gérard.

Lisa n'insiste pas. Son père n'en dira pas plus. Au mieux, il mentira davantage.

– Et à part ça, ta journée s'est bien passée ? lui demande Gérard.

Lisa dit oui, c'était une bonne journée. « Une journée mémorable, pense-t-elle. Ma meilleure amie ne m'adresse plus la parole, je suis en froid avec mon petit copain, j'ai pris trois heures de colle et mon prof d'anglais fournit des plans du collège à des truands. À part ça, c'était une journée formidable. »

Elle laisse son père ranger son carton dans son armoire. Pendant qu'il lui tourne le dos, elle récupère discrètement une enveloppe oubliée sur le bureau. Au-dessus de l'adresse de son père, dans le coin gauche, elle remarque le sigle *LD*... Et un coup de tampon oblique : *CONFIDENTIEL*.

– Et qu'est-ce que tu as fait, aujourd'hui ? questionne Gérard en refermant l'armoire à clé.

– Oh ! Ce que font *tous* les collégiens, Papa, assure Lisa en glissant l'enveloppe sous son pull. On étudie, on discute et une fois à la maison, on doit faire ses devoirs. Allez, je te laisse. J'ai du travail.

– À tout à l'heure, Lisa.

– Salut, P'pa.

Freddy-les-bons-tuyaux

Mardi – 17 h 15

Jérémy essuie ses lunettes pour la quatrième fois en moins de deux minutes.

– Tu vas finir par user tes verres, lui signale Freddy.

– Ce n'est pas ce qui peut m'arriver de pire, rappelle La Glu.

Freddy hoche la tête en signe de solidarité. Il propose à Jérémy de faire un bout de chemin avec lui. Un petit crochet.

– Tu n'es pas pressé de rentrer ? devine-t-il.

– Pas vraiment, avoue Jérémy.

– Hé ! La Glu ! Une matinée de colle, ce n'est rien pour toi !

D'accord. Il n'y a pas de quoi se rouler par terre. Freddy voulait seulement arracher un sourire à Jérémy.

– Bon, le jeu de mots n'était pas terrible, admet Freddy. Mais venant de moi, ce n'était déjà pas si mal.

Même l'autodérision ne donne pas de résultat probant.

– Allez, Jérémy ! Ne fais pas cette tête ! tente Freddy en lui adressant une claque amicale sur l'épaule.

– Aïe ! se plaint La Glu en perdant l'équilibre. Qu'est-ce que je t'ai fait ?

– Rien, assure Freddy. Je voulais juste te redonner le moral.

– Avec des coups de poing ? Drôle de méthode ! C'est comme ça que tu aides les autres, toi ? En les frappant ? Espèce d'australopithèque attardé !

Freddy fournirait volontiers à Jérémy une définition pratique du verbe *frapper*. Il y ajouterait même quelques synonymes, comme *taper, cogner, écrabouiller, ratatiner*... Mais Freddy se contrôle. Jérémy est l'ex-petit ami de Mona qui est l'ex-meilleure amie de Lisa qui est encore sa petite amie. Donc : pas de gaffe. Ce n'est pas le moment de tout compliquer.

– Écoute, La Glu, tes parents sont sûrement très compréhensifs. Et puis c'est la première fois que tu te fais coller…

– Justement. Ils ne sont pas encore habitués, réplique Jérémy. Je vais en entendre parler jusqu'à Noël. Au moins !

– Dans ce cas, tu ne leur dis rien, propose Freddy.

– Tu crois peut-être que ma mère va me laisser sortir demain matin sans explication, s'exaspère Jérémy. Excuse-moi, mais chez moi, c'est un peu plus compliqué que chez toi !

– Il y a toujours une solution, avance Freddy. Il suffit d'être malin, c'est tout.

Jérémy s'arrête. Il cligne deux fois des yeux. Il essuie encore ses lunettes.

– Tu pourrais être plus précis ? demande-t-il.

Freddy affiche un petit air satisfait. Plus précis ? Sans problème. Avec ton pote Freddy, pas de soucis. Écoute bien.

– Pour commencer, tu vas dormir chez moi. Ma mère va téléphoner à la tienne pour la prévenir. C'est simple, non ?

– Apparemment.

– Il suffira de leur expliquer que tu viens m'aider à préparer un devoir de maths. Tu verras, nos mères seront très heureuses de cette initiative, prédit Freddy.

– Et demain matin…

– Ma mère part à huit heures à son travail. Et nous, on doit être au collège à neuf heures. C'est parfait, non ? termine Freddy. À midi et demi, tu seras chez toi, les pieds sous la table. Ni vu, ni connu.

– Et le carnet de liaison à faire signer ?

– On a toute la soirée pour imiter les signatures. C'est de la rigolade.

– La routine… ironise La Glu.

Freddy tend sa main ouverte.

Jérémy avance la sienne.

Une poignée de main scelle leur accord.

– C'est par ici, indique Freddy d'un signe de tête. J'habite à deux pas.

– Le problème, signale Jérémy, c'est que je n'ai pas ma brosse à dents.

– C'est de l'humour, La Glu ?

– Ben… Non.

– Ha ! Ha ! T'es vraiment impayable !

9

Tentative de rapprochement

Mardi – 17 h 45

Louis-Hubert Destreuil est toujours le dernier à quitter le collège. Courrier, emploi du temps, circulaires… Le principal est encore dans son bureau après la fin des cours.

Comme tous les soirs, en attendant son père, Pierre-Louis a trouvé refuge près du terrain de sports. Derrière le gymnase. Mais pour une fois, il n'a pas sorti sa vieille balle de tennis de son sac. Cette *vieille compagne* qu'il fait habituellement rebondir contre le mur en ciment.

Ce soir, Pierre-Louis n'est pas seul.

Ce soir, Mona est avec lui.

Ils se sont assis sur l'herbe. L'un à côté de l'autre. Mona n'avait pas vraiment le moral ;

quand Pierre-Louis lui a proposé de l'accompagner, elle a accepté. Sans hésiter.

– Tu te souviens de la dernière fois qu'on est venus ici ? demande Pierre-Louis.

– Oui, lâche timidement Mona.

– J'espère que ce soir, je ne vais pas me retrouver ficelé dans un filet, plaisante-t-il.*

– Non, ne t'inquiète pas. Ces choses-là n'arrivent pas tous les jours.

Pierre-Louis lance un regard complice à Mona. Elle lui répond par un gentil clin d'œil coincé entre deux mèches de cheveux.

– Tu es inquiète pour ta mère ? reprend le fils du principal.

– Il faut que je trouve le courage de lui apprendre la nouvelle. Je vais peut-être essayer l'humour. Du style : « Salut, M'man. Le bahut, c'était génial aujourd'hui. Ce midi, il y a eu une bataille de purée. T'aurais vu ça. Trop cool... Tiens, au fait, j'ai pris trois heures de colle. »

– Ça peut marcher ? se renseigne Pierre-Louis.

* Voir *Les Sorcières du collège*, tome 1 : *Coups de cœur et mauvais coups.*

– Non.

– Alors, comment tu vas t'y prendre ?

– Aucune idée.

– Je voudrais bien t'aider, assure très sérieusement Pierre-Louis. Mais je ne connais pas ce genre de difficulté. Moi, mon père est déjà au courant.

Mona sourit. Attendrie.

– Il faut bien qu'il y ait quelques avantages à être le fils du principal, ajoute Pierre-Louis en haussant les épaules.

Mona acquiesce joyeusement. Pierre-Louis en profite pour se rapprocher un peu d'elle.

– Tu es encore plus belle quand tu souris, murmure-t-il.

Mona baisse les yeux. Gênée, mais pas insensible au compliment.

– Aussi belle que Lisa ? demande-t-elle toutefois, histoire de rappeler à Pierre-Louis ses premiers émois.

– Ça n'a rien à voir. Je commence à bien te connaître. Et ce que j'aime dans ton sourire, c'est qu'il est le reflet de ta personnalité.

– Tu penses vraiment ce que tu dis ? doute Mona.

Pierre-Louis se rapproche encore. Son épaule vient toucher celle de Mona.

– Je me sens bien avec toi, lâche-t-il.

– Moi aussi…

Le souffle de Pierre-Louis rebondit déjà sur les lèvres de Mona. Le fils du principal incline la tête. Il ferme les yeux.

Les lèvres de Mona sont toutes proches.

Pierre-Louis allonge le cou et embrasse… un courant d'air ! Plutôt frais en cette fin d'après-midi ! Il rouvre les yeux : Mona est debout. Elle lui tourne le dos et court le long du terrain de sports.

Il regarde tristement ses longs cheveux noirs décrire des vagues qui s'éloignent vers le large.

10

Au boulot !

Mercredi – 9 h 00

Louis-Hubert Destreuil a l'œil des matins sévères. La bouche étroite, le front plissé. Le corps raide et les mains dans le dos.

– Je vois que tout le monde est à l'heure, note-t-il.

Rassemblés au milieu de la cour du collège, soudain immense, Mona, Lisa, Pierre-Louis, Freddy et Jérémy attendent. Ils attendent la sentence.

Il ne fait pas très chaud, ce matin.

– Suivez-moi, ordonne le principal.

Le petit groupe traverse la cour. Le but de cette promenade matinale apparaît rapidement : le réfectoire.

Le trousseau de clés résonne. Louis-Hubert Destreuil ouvre les portes et fait entrer « les collés ». La salle ressemble à une peinture surréaliste. Un tableau de Miró, une remise en cause du cubisme à la manière de Picasso. Un surréalisme libérateur, mais avec l'humour en moins. Ici, les amas de purée durcis s'accrochent aux murs, aux tables, aux chaises, ou s'étalent et révèlent les empreintes de quelques chaussures inattentives. Les saucisses éclatées accompagnées de tranches de pain spongieuses baignent dans les flaques d'eau qui jonchent le sol. Et les coulées de fromage blanc apportent une touche d'une luminosité hivernale à l'ensemble.

– J'ai demandé au personnel d'entretien de ne toucher à rien. Il n'est pas admissible que vos comportements irresponsables les obligent à effectuer des heures supplémentaires. N'est-ce pas ?

– Heu… Bien sûr, admet Mona.

– C'est certain, constate Lisa.

Freddy, La Glu et Pierre-Louis acquiescent également.

Le principal sort de sa poche cinq papiers pliés en quatre. Il les dispose sur un coin de table épargné par le séisme.

– Par soucis d'équité, les tâches de chacun seront tirées au sort, explique-t-il. Qui commence ?

– …

– J'y vais, se décide Freddy.

Il choisit un papier, le déplie et lit :

– Serpillière-sol.

Louis-Hubert Destreuil lui désigne le balai-brosse, le seau et la serpillière qui l'attendent à l'entrée de la cuisine.

Jérémy s'avance. La main hésitante :

– Éponge-tables et chaises, dit-il.

C'est au tour de Lisa. Elle demeure un instant immobile devant les papiers. Ses paupières s'abaissent doucement.

– Allez, dépêche-toi, la presse le principal.

Seule Mona comprend la signification de cette attente. Elle n'est pas surprise quand Lisa déplie son papier et annonce victorieusement :

– Rangement.

– Tu n'avais pas envie de te salir les mains, lui lance discrètement Mona en la croisant.

Mona, elle, se voit confier le nettoyage des vitres.

Et Pierre-Louis rejoint Freddy pour se partager les serpillières.

– Bien, fait le principal. Je vous laisse. Inutile de vous préciser que si vous voulez effacer vos erreurs, c'est le moment ou jamais. Je ne veux plus voir une seule trace de ce qui s'est passé hier. Compris ?... Je compte sur vous. Je reviendrai vous voir tout à l'heure. Au travail.

Louis-Hubert Destreuil quitte le réfectoire en évitant de justesse une saucisse humide et une colonne de carottes râpées étalées sur le sol.

– Utiliser tes pouvoirs pour ne pas toucher à la serpillière, ce n'était pas très loyal, chuchote Mona à l'oreille de Lisa.

– Il faut bien s'offrir quelques consolations par ces temps difficiles, sourit Lisa.

Clin d'œil.

Mona retrouve un peu de la complicité qui la lie à sa meilleure amie.

– Ne commencez pas à discuter. On est ici pour travailler, rappelle La Glu, une éponge et un seau à la main.

Il plonge ses doigts dans l'eau et, d'un petit mouvement du poignet, il arrose les deux amies.

– Hé ! crie Mona. Arrête ça ou je te fais manger ton éponge !

– Commence par décoller la purée des vitres, lui indique Jérémy. Celle-là, je la reconnais : c'est toi qui l'as lancée.

– Et ce fromage blanc, réplique Mona en désignant une longue traînée blanche sur une table, ce ne serait pas le tien ? Il est encore temps de terminer ton dessert.

Mona et La Glu retrouvent les plaisirs de leurs amicales joutes verbales.

Pour la plus grande joie de Lisa.

– Place ! prévient Freddy en arrivant avec sa serpillière et son balai-brosse. Ou je vous cire vos pompes gratos !

– C'est tentant. J'ai toujours rêvé d'avoir un garçon à mes pieds, plaisante Lisa.

– N'importe quel garçon ?

– Un garçon plutôt mignon... Qui pourrait te ressembler, murmure-t-elle en s'approchant de Freddy.

Très près.

Si près qu'elle dépose un rapide baiser sur ses lèvres.

– Pour te donner du courage, dit-elle.

– Hé ! Bossez un peu, râle Pierre-Louis. N'oubliez pas que le principal est aussi mon père. J'aimerais bien qu'il oublie définitivement cette histoire.

– C'est parti, annonce Mona en s'attachant les cheveux. Je commence par les carreaux de La Glu, et ensuite j'attaque les fenêtres !

– Ha ! Ha ! Je rigôôôle ! ironise Jérémy. Mais ne frotte pas trop les vitres, tu pourrais être effrayée par ton reflet !

– Ne le prends pas mal, s'excuse Mona. C'était juste de l'humour.

Jérémy baisse la tête, un peu honteux :

– Moi aussi, c'était pour blaguer.

Mona lui attrape la main et lui confie à l'oreille :

– Je suis désolée pour tout ce qui s'est passé. J'espère que tu me pardonneras.

Et ses lèvres se posent un instant sur la joue de La Glu.

Jérémy bafouille quelques onomatopées incompréhensibles, serre son éponge si fort que l'eau tombe en cascade à ses pieds.

– Le sol, c'est mon affaire, lui lance Freddy. Occupe-toi des tables !

– Heu... Oui, oui, se reprend La Glu.

Il se rue sur la première table et la frotte avec une joie inespérée.

Lisa, elle, se contente de ranger les chaises épargnées par le désastre sur les tables. Pendant que Mona s'attaque aux premières fenêtres en les vaporisant d'alcool.

– Pas trop difficile ? lui demande Lisa.

Mona jette un rapide coup d'œil circulaire. Les autres s'activent, concentrés sur leur tâche.

– Difficile ?... Pas vraiment, répond-elle.

Elle pose son index gauche sur sa tempe. Le chiffon quitte sa main droite et glisse sur la fenêtre à une vitesse ahurissante avant de revenir, docile, à son point de départ.

Mona siffle un petit air joyeux.

– T'es cinglée, chuchote Lisa, néanmoins amusée par l'audace de son amie.

Mais les yeux de Lisa restent fixés sur la fenêtre. D'ici, elle a une vue parfaite sur la cour. Et soudain, c'est le flash. Éblouissant. Des images qui se bousculent dans sa tête.

– Lisa ? Lisa ? appelle Mona.

Freddy lâche sa serpillière :

– Qu'est-ce qu'elle a ?

Lisa revient à elle. Elle secoue la tête.

– M. Michel, lâche-t-elle comme si ce nom suffisait à tout expliquer. Il arrive ! Cachez-vous !

Mona, Lisa, Freddy, puis Pierre-Louis et Jérémy disparaissent sous le rebord de la fenêtre.

– Il est dans la cour. Regardez discrètement, dit Lisa à voix basse.

Les cinq têtes remontent doucement. Jusqu'à la hauteur des yeux.

– Plutôt prudent, notre prof d'anglais, constate Freddy.

À l'autre bout de la cour, le professeur remplaçant longe en effet les murs des salles de classes du rez-de-chaussée.

– Qu'est-ce qu'il fabrique ici ? Il n'y a pas de cours, ce matin, commente La Glu.

– Il prépare un mauvais coup, assure Lisa. Je l'ai vu hier soir discuter avec deux hommes étranges. Il leur a donné un plan du collège. M. Michel est un cambrioleur. J'en suis certaine.

– Il faut prévenir mon père, réagit Pierre-Louis.

– Surtout pas, le contredit Lisa. C'est trop tôt. Il faut savoir ce qu'il manigance exactement.

M. Michel a traversé la cour. Il disparaît dans le bâtiment B.

– Je crois savoir où il va, dit Lisa. Il faut le suivre.

– Je viens avec toi, propose aussitôt Freddy. Les autres, vous nous couvrez si le principal revient. Inventez n'importe quoi, mais gagnez du temps.

Mona serre le bras de Lisa :

– Tu es sûre que…

– Ne t'inquiète pas. Tout va bien se passer.

Lisa et Freddy quittent le réfectoire au pas de course. Main dans la main, ils traversent la cour, le dos courbé.

Derrière sa fenêtre, Mona observe sa meilleure amie, un peu inquiète. Un peu envieuse aussi.

– Je crois qu'elle nous a monté un plan pour être seule avec Freddy, sourit-elle.

– Ah ouais ! fait Jérémy. Je comprends maintenant…

11

Filature

Mercredi – 9 h 38

Lisa et Freddy entrent à leur tour dans le bâtiment B. Ils referment la porte derrière eux. Avec précaution. Lisa pointe son index vers les marches. Des pas résonnent à l'étage. Aucun doute.

Sur la pointe de ses baskets, Freddy s'engage dans l'escalier. La main sur la rampe, Lisa le suit. Presque collée à lui. Au premier palier, ils marquent un temps d'arrêt. Ils retiennent leur respiration, silencieux, en quête du moindre bruit… M. Michel est toujours devant.

Premier étage : personne dans le couloir.

L'écho des pas, plus haut.

– On continue ? demande Freddy.

– Évidemment.

Freddy n'en attendait pas moins de sa petite amie. Elle ne manque pas de cran. C'est certain. Et il adore ça !

Deuxième étage.

Lisa tire sur le sweat de Freddy pour l'obliger à ralentir. On n'entend plus les pas du professeur. Bruit de clé dans une serrure. Une porte qui s'ouvre.

– Il entre dans le CDI, murmure Lisa. Je m'en doutais.

Cette fois, elle passe devant Freddy.

Dernier étage.

Au bout du couloir, la porte du CDI est restée entrouverte. Lisa et Freddy s'approchent. Les jambes comme des feuilles mortes. Prêts à détaler dans l'autre sens à la moindre alerte.

Ils ne sont plus qu'à une dizaine de pas de la porte.

– Psss ! Regarde, fait Lisa.

Elle s'approche des fenêtres du couloir. Freddy l'imite. D'ici, ils ont une vue parfaite sur l'arrière du collège. Trois étages plus bas, un camion est stationné le long des grilles qui entourent l'établissement. Sur le côté du véhicule, il est inscrit en lettres rouges sur fond noir : *Déménagements de pianos*. Une longue échelle équipée d'un monte-meubles est dépliée à côté de la porte du panneau arrière : elle rejoint les fenêtres du CDI ! Et sur la plate-forme qui s'élève vers le dernier étage du collège, Lisa reconnaît les deux hommes qu'elle a vus la veille.

– Tu les connais ? s'étonne Freddy.

– Ce sont eux qui discutaient hier avec M. Michel, explique Lisa.

– Les nouveaux ordinateurs ! devine Freddy. Ils viennent les voler !

12

« 22 ! V'là l'principal ! »

Mercredi – 9 h 46

– Mince ! Voilà mon père.

Par la fenêtre du réfectoire, Mona et Jérémy peuvent vérifier l'alarmante exactitude de l'information. Leurs nerfs optiques s'affolent. Leurs deux hémisphères s'entrechoquent. Pierre-Louis a raison ! Le principal traverse la cour avec la détermination et la rigueur d'un militaire défilant sur les Champs-Élysées un 14 juillet ! C'est l'alerte rouge !

– Qu'est-ce qu'on va dire pour Lisa ct Freddy ? panique Pierre-Louis.

Mona lui fait signe de conserver son sang-froid. Qu'il prenne exemple sur elle : zen à l'extérieur, paniquée à l'intérieur.

La Glu reprend son éponge :

– Frottons. Astiquons. Au moins, le principal nous trouvera en plein travail.

Mona se jette sur son vaporisateur et Pierre-Louis sur sa serpillière. Neuf secondes et cinq dixièmes plus tard, Louis-Hubert Destreuil pousse la porte du réfectoire.

On entendrait une mouche voler.

Mais il n'y en a aucune.

– Où sont Lisa et Freddy ?

Le visage du principal est blanc. À croire qu'il s'est trempé la tête dans un seau d'eau de Javel.

– Vous ne les avez pas vus ? s'étonne magnifiquement Jérémy. Ils sont partis vous chercher. Vous avez dû vous croiser.

– On n'avait plus de produit pour nettoyer le sol. Au lieu de fouiller partout, Lisa et Freddy ont préféré aller vous demander, complète Mona.

Pierre-Louis n'en revient pas. Les inventions de La Glu et Mona frôlent la perfection. Aucun doute, ces deux-là sont faits pour s'entendre. À son grand désespoir.

– Les produits d'entretien sont rangés dans cette armoire, indique le principal.

Jérémy se frappe le front. Comment n'y a-t-il pas pensé plus tôt ? L'armoire, bien sûr !

« N'en fais pas trop quand même », songe Pierre-Louis.

Heureusement, Louis-Hubert Destreuil ne prête pas attention aux cabotinages de La Glu. Il a d'autres préoccupations :

– Mona, j'ai une lettre pour toi, reprend-il.

– Une lettre… Au collège ?

– Je l'ai trouvée dans la boîte ce matin. Elle t'est bien adressée. Il n'y a pas de timbre. Quelqu'un a dû la déposer.

Mona prend la lettre. Une enveloppe ordinaire. *Mona Chandreux – Collège Paul-Féval…*

Elle a déjà reconnu l'écriture. Des lettres étirées et exagérément penchées.

– Je vous laisse travailler, dit le principal d'une voix aussi blanche que son visage. Dites à Lisa et à Freddy de ne pas traîner dans les couloirs. Si vous avez besoin de quelque chose, je suis dans mon bureau.

La porte se referme.

La Glu abandonne son éponge sur une table :

– Il n'a pas l'air en forme, ton père.

– C'est bizarre. Ce matin, ça allait, dit Pierre-Louis.

La Glu se gratte la tête :

– J'espère que son cœur ne va pas encore nous jouer un air de techno, comme le jour où tu lui as avoué comment tu t'y étais pris pour faire renvoyer Freddy du collège. Sans ses pilules, il était cuit !*

– Je préfère ne plus penser à ça, chuchote Pierre-Louis en baissant la tête.

– C'est une lettre de mon père.

Mona a murmuré ces mots.

Le réfectoire prend des allures de cathédrale. Un silence religieux. La Glu et Pierre-Louis passeraient presque pour deux enfants de chœur.

Mona est figée au centre de la pièce. Tétanisée. Une enveloppe tremblante entre les mains.

– Quoi ? demande enfin Jérémy en se rapprochant.

* Voir *Les Sorcières du collège*, tome 1 : *Coups de cœur et mauvais coups.*

– C’est l’écriture de mon père... La même que dans la grotte.

Jérémy aurait du mal à en juger. Il n’était pas avec Mona ce jour-là. Mais ça, il s’abstient de le rappeler.

– Ben... Ouvre. C’est pas en la secouant que tu vas savoir ce qu’il y a à l’intérieur.

– Je ne peux pas. Vas-y, toi.

Jérémy s’empare délicatement de l’enveloppe entre les doigts crispés de Mona.

Leurs regards se croisent un instant.

Mona est au bord des larmes.

– Peut-être que ton père t’annonce la naissance d’un p’tit frère.

Pour détendre l’atmosphère, La Glu n’a pas son pareil.

Pierre-Louis fait un pas en avant mais il garde ses distances.

Jérémy passe son doigt sous le rabat de l’enveloppe.

13

Une erreur fatale

Mercredi – 9 h 56

Du bout du doigt, Freddy pousse la porte du CDI.

Juste assez pour entrevoir M. Michel. De dos.

Il ouvre une fenêtre. Ses deux complices l'enjambent et le rejoignent dans la pièce.

– Exact au rendez-vous, Mario. C'est parfait ! le félicite le professeur.

– On vous l'avait dit, monsieur Michel, avec Bob et moi, y a jamais d'embrouille.

Le prof lâche un sourire amusé. À la limite de la compassion.

Sans perdre un instant, les deux hommes se mettent au travail. Tout semble avoir été prévu. Organisé. Minuté. Ils démontent les ordinateurs, roulent les câbles, rassemblent les claviers, les souris. Les écrans et les unités centrales sont installés sur l'élévateur, de l'autre côté de la fenêtre.

Dans le couloir, la joue appuyée au montant de la porte, Freddy les observe. Il va falloir faire vite. Très vite. Dans un quart d'heure, ils auront terminé. Il faudrait les retarder, le temps de prévenir le principal. Le temps que la police arrive.

– Lisa, chuchote Freddy. Va trouver M. Destreuil. Moi, je reste ici... Lisa... Lisa ?

Lisa fixe la porte du CDI. Sans répondre. Elle est devenue sourde ou quoi ?

– Lisa ? répète Freddy.

Aucune réaction.

Devant les yeux de Lisa, la porte a disparu.

Freddy aussi.

Devant les yeux de Lisa défilent des images. Un film court, une bande-annonce dans laquelle M. Michel apparaît. Il s'avance. Écarte sa veste. Un badge brillant est accroché sur sa poitrine. Il sort un pistolet. Flash. À présent, M. Michel brandit son arme. Il est appuyé contre un mur. Il crie : « Je tire, mon commandant ? Je tire ? » Flash. La même scène se rejoue. Comme un disque rayé. « Je tire, mon commandant ? Je tire ? » Flash. Toujours la même scène. Encore et encore.

Lisa secoue la tête.

Un léger vertige.

« Mon commandant... »

– M. Michel, articule-t-elle difficilement. C'est un militaire... Un militaire... La Division !

Freddy la regarde sans comprendre. Il ne voit même pas la porte du CDI s'ouvrir derrière lui. M. Michel agrippe le col de son sweat.

Paralysée par la peur, Lisa n'a pas le temps de reculer. Le faux professeur lui serre déjà le poignet.

– Entrez donc, tous les deux, dit-il avec un sourire déplaisant. Je vous attendais.

•

Jérémy lit une nouvelle fois la lettre :

– Mona, j'ai enfin réussi à m'échapper. Mais ceux qui me retenaient prisonnier sont à ma recherche. Je dois me cacher. J'ai pris la chambre

104 à l'hôtel de Bretagne. Juste à côté de ton collège. J'ai déposé cette lettre pendant la nuit. Ne la montre à personne. Rejoins-moi dès que tu l'auras lue. Je t'embrasse. Papa.

– J'y vais, se décide Mona.

– Attends, l'arrête La Glu. Comment pouvait-il savoir que tu serais ici aujourd'hui ? Normalement, tu ne devrais pas être au collège.

– Mon père est capable de savoir beaucoup de choses. Mais je ne peux pas tout t'expliquer.

– Expliquer quoi ?

– Je n'ai pas le temps, Jérémy.

– Expliquer quoi ???

– Je vais prévenir mon père, intervient Pierre-Louis.

– Non !

Le fils du principal est parti. Mona hésite un instant à faire basculer une chaise dans ses pieds. Tant pis. Qu'il aille voir son père. Après tout, M. Destreuil ne risque pas de dénoncer Boris. Au contraire. Jusqu'à présent, il a tout fait pour l'aider à le retrouver.

Pierre-Louis sort du réfectoire.

– Est-ce que tu vas te décider à me répondre ? s'énerve La Glu.

Mona n'aime pas ce ton. Elle récupère la lettre.

– Écoute-moi bien, Jérémy, parce que je ne vais pas me répéter. Mon père est un as du paranormal. Il fait bouger les objets à distance. Alors, à mon avis, un peu de voyance ne lui fait pas peur.

– Tu racontes vraiment n'importe quoi. Cette lettre t'a rendue complètement folle.

– Possible. Mais maintenant, je vais retrouver mon père.

– Tu restes ici. On attend le principal.

– Jérémy, pousse-toi.

– Il faudra me passer sur le corps.

C'est précisément cette dernière phrase que Jérémy va regretter…

14

Prisonniers

Mercredi – 10 h 10

M. Michel pousse Lisa et Freddy à l'intérieur du CDI et referme la porte.

– Que font-ils ici, ceux-là ? panique aussitôt Mario.

Bob ne semble pas plus à l'aise :

– Qu'est-ce qu'on va faire d'eux ?

M. Michel juge ses complices d'un œil condescendant :

– Calmez-vous, les gars. Vos nerfs lâchent ?

– Vous n'êtes pas prof d'anglais ! l'accuse Lisa. Vous êtes un militaire !

– On ne m'avait pas menti, note M. Michel. Tes pouvoirs sont en effet impressionnants.

– C'est quoi, cette histoire ? s'énerve Mario.

– Nous, on trempe pas dans une histoire d'enlèvement ! prévient Bob.

– Vous, vous faites ce que je dis, indique M. Michel.

Sa voix est froide et décidée. Il écarte sa veste. Lisa remarque le badge brillant. Elle en oublierait presque le pistolet. M. Michel l'arme dans un claquement sec.

Ses deux complices s'apprêtent à reposer l'ordinateur qu'ils déménageaient.

– Non, non... Continuez s'il vous plaît, ordonne aimablement M. Michel. Le programme ne change pas. J'ai seulement omis de vous informer de certains détails.

– Des détails concernant La Division, complète Lisa.

– Félicitations, jeune fille. Je suis très agréablement surpris par ta perspicacité.

Étrange M. Michel. Rien ne semble le troubler. Il avoue sans la moindre hésitation :

– En effet, je ne suis pas professeur d'anglais...

« Dommage, ne peut s'empêcher de penser Freddy, pour une fois que je m'intéressais au cours ! »

– … Pas plus que tu n'es une collégienne *ordinaire*, répond-il à Lisa. Par une incroyable « malchance », Mme Leroy a glissé dans les escaliers de son immeuble. J'ai intercepté l'e-mail envoyé au rectorat par votre principal pour demander un remplaçant. Et je me suis présenté sous un faux nom. Puis j'ai fait croire à ces deux petits truands qu'ils allaient, grâce à moi, réaliser un coup sans risque.

– Si vous voulez, on s'en va, maintenant, assure Mario.

– Ouais. On vous laisse tout le matos et vous n'entendrez plus jamais parler de nous, ajoute Bob.

M. Michel pointe son pistolet vers eux.

– Continuez de charger, et tout se passera très bien.

– Mais pourquoi toute cette machination ? demande Lisa. Ces ordinateurs ne vous intéressent pas. Vous n'êtes pas venu ici pour ça.

– C'est possible, admet le faux professeur. Disons que cette manœuvre était, entre autres, destinée à détourner ton attention. Une petite précaution à cause de ta mauvaise habitude de prévoir l'avenir. Pendant que tu me soupçonnais d'être un voleur, tu ne pensais pas à autre chose.

« Une fausse piste », comprend Lisa.

– Hé, toi, tu ne bouges pas ! prévient M. Michel.

Freddy lève les mains.

– J'ai rien fait, m'sieur. Je voulais juste m'asseoir.

– Bien sûr. Aide plutôt mes deux « amis » à charger les ordinateurs. Ça va t'occuper.

Freddy s'exécute. Il rassemble les claviers et les met dans un grand sac que lui tend l'un des truands.

Lisa ne dit plus rien. Un bourdonnement dans la tête. Un très léger vertige. Soudain, la lumière blanche. Le cri le Mona : « Laissez-moi sortir ! Vous n'avez pas le droit de me retenir prisonnière ! Laissez-moi sortir !... » Puis cet appel à l'aide : « Lisa... Lisa, sors-moi d'ici... »

– Hé, réveille-toi !

La main de M. Michel serre l'épaule de Lisa. Il la secoue.

– Va les aider, toi aussi. Ça t'évitera de trop penser.

M. Michel n'est pas très rassuré. Lisa regarde la main posée sur son épaule. Le faux professeur la retire immédiatement. Ces histoires de dons paranormaux, il n'aime pas trop ça. On ne sait jamais de quoi elle pourrait être capable.

– Allez, au boulot. Ça va t'occuper, répète-t-il.

•

– Pour la dernière fois, Jérémy, laisse-moi passer.

Jérémy ne cède pas.

Malgré les yeux en colère de Mona.

Malgré son front plissé et ses cheveux noirs qui cachent en partie son visage.

La Glu est collé à la porte du réfectoire. Bras écartés. Les doigts accrochés aux montants. Une sorte de bernique sur son rocher.

– Très bien, fait Mona comme si elle était prête à capituler.

Son index appuie légèrement sur sa tempe. Une seconde ou deux. Et la porte s'ouvre. Vers l'intérieur. Jérémy lâche un cri mais il est déjà coincé entre le mur et la porte.

Un peu à l'étroit.

– Au… 'cours, gémit-il, le nez écrasé contre le mur.

Mona n'est plus là pour l'entendre. Mona file à toutes jambes. Traverse la cour.

Mona a rendez-vous avec son père.

Chambre 104. Hôtel de Bretagne.

Mona rejoint le plus vite possible la sortie du collège.

Sûre du bonheur qui l'attend.

Enfin.

15

M. Michel aux commandes

Mercredi – 10 h 15

M. Michel regarde sa montre.

On est dans les temps.

– Bien, fait-il. Mario, Bob, voici deux billets d'avion, deux passeports et un peu d'argent de poche. Vous emportez ces ordinateurs, vous ne posez aucune question et vous disparaissez. Je ne veux plus jamais entendre parler de vous.

Les deux truands ont les yeux fixés sur la liasse de billets.

– Aucun problème, monsieur Michel. Nous ferons tout ce que vous voudrez.

– J'espère pour vous. Sinon, *certaines personnes* sauront vous le rappeler. À domicile, si c'est utile… À propos, Mario, tu habites bien au 17 de la rue des Herbiers ? Troisième étage ? Première porte à gauche ?

– Mais ?… Comm…

– Et toi, Bob, on peut toujours te trouver chez ta petite amie, Sylvie, au numéro 3 de l'impasse de l'Aube ?

Bob en reste bouche bée.

– Nous savons tout sur vous, reprend M. Michel. Alors n'essayez pas de nous doubler.

L'avertissement est clair.

M. Michel a réussi à impressionner les deux hommes. Il les regarde froidement, droit dans les yeux, en leur remettant les billets, les passeports et l'argent.

Freddy saisit l'occasion : le sac rempli de claviers s'envole. Il s'écrase sur le visage de M. Michel qui recule sous le choc.

– Va-t'en, Lisa ! hurle Freddy.

M. Michel est sonné. Son dos cogne contre une étagère. Il lâche son arme. Quelques livres tombent sur le sol. Mario se précipite pour récupérer le pistolet.

– Hé, hé ! se réjouit-il, je crois que nous allons avoir droit à quelques explications.

Mais M. Michel bondit déjà sur lui. D'un geste rapide et précis de la main, il lui tord le poignet : le truand tombe à genoux et lâche instantanément l'arme dans un cri de douleur.

M. Michel presse le canon du pistolet entre les deux yeux du truand.

– Je… Je comptais vous le rendre, assure Mario en tremblant.

– Et maintenant, personne ne bouge, ordonne M. Michel.

Hélas pour lui, la porte du CDI vient de claquer.

Lisa s'est enfuie.

Le petit sourire en coin de Freddy le confirme.

16

Course contre la montre

Mercredi – 10 h 18

Lisa dévale les escaliers du bâtiment B. Elle traverse la cour. Tout se mélange dans sa tête. La peur, Freddy qui est encore là-haut, et surtout Mona. Mona est en danger. Elle en est certaine. Il se prépare quelque chose de terrible. Ce cambriolage est un coup monté destiné à diriger ses visions sur une fausse piste. Lisa a été trompée. Elle aurait dû mettre Mona en garde. Elle aurait pu la protéger.

À présent, il faut faire vite. Rattraper tout ce temps perdu.

En espérant qu'il ne soit pas trop tard.

Lisa se dirige vers le réfectoire.

Elle entre en trombe. Au moment où elle pousse sur la porte, elle entend un cri :

– Aïe ! Vous vous êtes tous donnés le mot, ou quoi ?

Elle découvre Jérémy, assis derrière la porte, les lunettes de travers et les cheveux encore plus ébouriffés qu'à l'ordinaire.

– Où est Mona ?

– Elle peut bien aller où elle veut, peste Jérémy. Cette porte s'est ouverte d'un coup et...

– La Glu, c'est sérieux. Il y a un problème.

Jérémy se relève. Il n'a jamais vu Lisa dans cet état. Le visage tendu, la voix cassée : elle semble au bord de la crise de nerfs.

– Mona a reçu un message de son père. Il l'attend dans un hôtel à côté du collège. J'ai essayé de la retenir mais...

– Viens vite !

Lisa agrippe Jérémy par la manche. Elle l'arrache du mur.

– Pierre-Louis... est parti... prévenir son père, dit-il.

– Ce sera trop tard. Cours !

La Glu suit Lisa. Plus le temps de réfléchir. Il faut foncer. Il savait que Mona n'aurait pas dû aller à ce rendez-vous. Il n'en connaît pas encore la raison, mais Lisa semble le savoir.

Plus le temps de réfléchir.

Il faut courir.

Lisa n'a que cette idée en tête.

Elle en oublie même Freddy toujours aux prises avec M. Michel.

•

Pierre-Louis est arrivé dans les locaux administratifs du collège. Il vient de passer devant le bureau de la secrétaire avant de s'arrêter devant celui de son père. Il s'apprête à frapper.

Il a un moment d'hésitation, comme toujours.

Douze années d'éducation.

Le temps de vérifier que sa chemise ne dépasse pas de son pantalon. Que ses lacets ne sont pas défaits. De réfléchir à ce qu'il va dire. Une seconde. Suffisamment pour entendre une voix. Une voix qui n'est pas celle de son père. Il s'arrête. Il attend. Un instant seulement. Rien qu'une voix. S'apprête à frapper. Quand la voix se fait de nouveau entendre.

– Je vous remercie pour votre collaboration, monsieur Destreuil. Vous avez fait le bon choix.

Pierre-Louis colle son oreille à la porte. Ce goût familial pour les intrigues. Mais aussi un drôle de pressentiment.

– Vous ne m'avez pas vraiment laissé le choix, monsieur... Hole, fait remarquer le principal.

L'homme réplique par un rire satisfait.

– Si vous nous aviez refusé votre aide, votre fils serait en effet entre nos mains à l'heure qu'il est. Vous l'avez sauvé. C'est l'essentiel, non ?

– Mais que voulez-vous à ces deux jeunes filles ? Qu'ont-elles de si particulier pour vous intéresser à ce point ? questionne Louis-Hubert Destreuil.

– Moins vous en saurez, mieux cela vaudra. Vous vous êtes déjà suffisamment mêlé de nos affaires. Et nos dirigeants n'aiment pas la publicité.

– Qu'y avait-il dans cette lettre que vous m'avez fait porter à Mona ? insiste le principal.

– Moins vous en saurez… répète Hole. Et si vous parlez de cette affaire à quiconque, nous saurons agir. Ne l'oubliez pas. Et maintenant, veuillez m'excuser, on m'attend.

Hole se dirige vers la porte. Il quitte le bureau. Il remonte le couloir à grands pas. Un pas régulier, rythmé. Il passe devant le secrétariat. Pierre-Louis sort une demi-tête de derrière l'armoire qui lui sert de cachette. Il voit seulement l'homme de profil. Son visage rectangulaire. Un sourire satisfait mais l'œil aux aguets. Son imper s'écarte un instant et laisse apparaître un uniforme, une combinaison presque noire, un badge accroché à la poitrine.

Pierre-Louis sent un pincement lui serrer la gorge.

Il en veut déjà terriblement à son père.

17

Où est Mona ?

Mercredi – 10 h 24

Lisa et Jérémy rejoignent le hall d'entrée du collège.

Ils s'arrêtent devant la lourde porte.

La poignée et l'ensemble de la serrure pendent mollement, encore retenus à la porte par quelques lambeaux de métal. Comme si la main de Hulk les avait tordus puis arrachés.

– Mince ! C'est Mona qui a fait ça ?

– Mais non, bien sûr, répond aussitôt Lisa.

Elle pousse sur la porte qui s'ouvre à présent sans résistance. L'important, c'est que Mona ait perdu du temps. Ils ont une chance de la rattraper.

– Vite, Jérémy ! Arrête de regarder cette poignée et dépêche-toi !

– Heu... J'arrive.

Ça commence à faire beaucoup d'événements en deux jours pour La Glu. Depuis qu'il connaît Mona et Lisa, c'est vrai, il ne s'ennuie pas. Mais là, ça dépasse largement ses besoins occupationnels. Et surtout, il n'y comprend plus rien. Son esprit rationnel patine sur place. Il voudrait réfléchir, essayer d'élaborer quelques théories raisonnables...

– Quel hôtel ? hurle Lisa.

– Hôtel de Bretagne. Tout droit. C'est au bout de l'avenue de l'Europe, à droite.

La Glu pense à nouveau à Mona. Est-elle vraiment en danger ? Il y a sûrement une explication. Lisa se fait du souci pour rien. Mais cette lettre ? C'est tout de même étrange...

– Elle est là !

Lisa retrouve le sourire. Au coin de l'avenue, à cent mètres, elle aperçoit Mona. Tout va bien. Elle s'apprête à traverser pour entrer dans l'hôtel de Bretagne. Il y a quelques personnes dans la rue. Une matinée paisible. Jérémy aussi sourit. Ils se sont inquiétés inutilement. Quelle histoire ! On en rigolera bientôt.

Lisa s'apprête à appeler sa meilleure amie : *Hé, Mona, quelle peur tu m'as fait ! Viens vite nous rejoindre.*

Mais Lisa reste la bouche ouverte.

Une voiture vient de s'arrêter à l'extrémité du passage pour piétons. Devant Mona. Cet automobiliste se croit vraiment tout permis ! Le chauffeur sort aussitôt. Il semble s'excuser. Tout de même. Il s'approche. Mona veut passer. Elle fait signe à l'homme que tout va bien. Elle n'a pas vu l'autre homme, celui qui arrive derrière elle. Il la serre dans ses bras. Sa main recouvre sa bouche et son nez. Il tenait quelque chose dans sa main. Lisa en est certaine. Mona s'évanouit aussitôt.

– Nooon ! hurle Lisa.

Elle court.

Jérémy la suit.

L'homme soutient Mona. La porte arrière de la voiture s'est ouverte.

– Laissez-la ! crie Lisa.

Un passant se retourne vers Lisa : *Mais non ! Ce n'est pas moi qu'il faut regarder !* Plus que cinquante mètres. Et l'avenue à traverser. Le bout du monde. Le chauffeur a repris sa place. L'homme qui tenait Mona est monté à l'arrière du véhicule. La portière se referme.

Lisa court un instant encore derrière la voiture qui s'éloigne tranquillement.

Elle dépasse un camion.

Elle a disparu.

Lisa tombe à genoux sur le trottoir. Le visage perdu dans ses mains. Elle pleure en silence, le corps à peine secoué par les larmes.

Un passant fait semblant de ne pas la voir. Un autre l'observe de loin.

Jérémy reste debout. Les bras ballants.

Il répète :

– Mona… Mona… Mona…

18

Une dernière chance

Mercredi – 10 h 35

– Freddy… murmure Lisa.

Elle se relève immédiatement. Jérémy la regarde sans comprendre.

– Freddy est en danger. M. Michel le retient prisonnier. S'ils ont terminé de charger les ordinateurs, ils vont s'enfuir.

La Glu s'apprête à appeler de l'aide. À interpeller les passants. Allez chercher un médecin ! Vite ! Une ambulance ! Lisa perd les pédales !… Et il y a de quoi. Mona vient d'être enlevée sous ses yeux.

Il sent la main de Lisa agripper une nouvelle fois son blouson.

– Il faut retourner au collège !

Jérémy est bien obligé de suivre Lisa. Ensemble, ils redescendent l'avenue de l'Europe.

– Il... faut... prévenir la... police, souffle Jérémy.

– Plus tard, lâche Lisa. Freddy d'abord.

Lisa entraîne La Glu dans l'impasse de l'Olivier qui contourne le collège.

– Mais... l'entrée n'est pas par là ! proteste Jérémy.

– Ne pose pas de questions, supplie Lisa. Fais-moi confiance.

Des larmes remplissent à présent ses yeux. Sa vue se brouille. Elle doit tenir. Ne pas craquer. Ne pas s'effondrer au milieu de la rue, pleurer et hurler. Lisa serre les poings. Elle arrive enfin à l'arrière des bâtiments du collège.

Le camion est toujours là.

Lisa essuie ses yeux du revers de sa manche. Les deux truands embauchés par M. Michel se tiennent debout sur l'élévateur chargé d'ordinateurs. Ils viennent de quitter le dernier étage du collège. La fenêtre du CDI est encore ouverte.

Jérémy rejoint Lisa.

– C'était vrai ! s'exclame-t-il.

Lisa ne l'entend pas. Elle réfléchit. Vite. Trouver un moyen d'arrêt...

– Le camion ! s'écrie-t-elle.

Un des deux hommes la montre du doigt.

Lisa ouvre la portière. Elle s'assied à la place du conducteur. Elle appuie sur différents boutons, la ventilation se met en marche, les feux de détresse, les essuie-glaces, les clignotants... Mais l'élévateur continue de descendre. Il en est déjà à la moitié de son trajet.

– Hé ! Laissez ce camion tranquille ! hurle Mario.

– Jérémy ! Vite ! Comment on arrête ce truc ?

La Glu est à côté de Lisa. Ses yeux décrivent de drôles de trajectoires derrière ses lunettes :

– Ici ! dit-il. L'interrupteur général.

Lisa abaisse la manette.

RRRRrrrrreuuuu...

L'élévateur se bloque à cinq ou six mètres du sol.

Les deux hommes lâchent quelques jurons. Pestent contre leur malchance. Contre ces gosses qui viennent tout gâcher !

– Et maintenant, dit Lisa, il faut donner l'alerte.

Elle appuie ses deux mains sur la partie centrale du volant : le klaxon lâche un cri rauque et interminable.

M. Michel jette un œil par la fenêtre du CDI.

– Les idiots ! enrage-t-il. Tout le quartier va rappliquer !

– On dirait que vos affaires tournent mal, se moque Freddy.

– Toi, tu te tais, ordonne M. Michel en pointant son arme vers son otage.

Sa main tremble. Ce sale môme a raison. Rien ne se déroule comme prévu. Le plan n'est pas suivi à la lettre. Et le commandant Hole ne va pas aimer ça. Il ne va pas aimer du tout.

M. Michel sursaute.

Freddy a bien cru qu'il allait presser sur la détente.

– Restez calme, fait-il. C'est une sonnerie de téléphone portable. Vous devez en avoir un sur vous.

M. Michel souffle discrètement. Il sort maladroitement un minuscule téléphone de la poche intérieure de sa veste.

– Oui ?... Oui, commandant. Un léger contretemps... La police va certainement arriver d'une minute à l'autre... Évidemment, si ces deux truands sont arrêtés, il sera difficile de les faire accuser de l'enlèvement de Mona comme prévu...

Freddy écoute attentivement les explications tronquées. Ainsi, le but de toute cette opération serait d'cnlever Mona et de faire porter le chapeau aux deux cambrioleurs supposés disparaître dans la nature...

– Le garçon est toujours avec moi... continuc M. Michel. Une fois arrêtés, nos deux voleurs pourraient en effet confirmer ses déclarations à la police... Ce serait gênant... Très bien... À tout de suite, mon commandant.

M. Michel range son téléphone. Mais pas son arme. Il a repris de l'assurance.

– Je devais vous attacher, toi et ta copine, dans le CDI. Mais comme personne ne croira plus à un cambriolage, je vais t'emmener. Tu es content de rester avec moi, non ?

– Je n'aurais pas osé vous le demander, répond Freddy sur le même ton.

– Avance, au lieu de faire le malin. Direction la sortie.

Freddy précède M. Michel, le canon du pistolet suffisamment enfoncé dans son dos pour le dissuader de tout écart. Ensemble, ils sortent du CDI, traversent le couloir et commencent à descendre les marches.

– Aïe !

– Qu'est-ce que tu as ? Relève-toi, s'énerve M. Michel.

– Je me suis tordu la cheville, se plaint Freddy accroupi au milieu des marches.

– Dépêche-toi, panique à nouveau M. Michel. Allez ! Debout !

Il coince son arme dans sa ceinture et descend à la hauteur de Freddy pour l'obliger à se relever ; Freddy étend sa jambe au même moment. Les pieds de M. Michel butent dans son tibia.

– Hééé ! crie le faux professeur en agitant les bras.

Il perd l'équilibre, rate la marche suivante, bascule vers l'avant, tombe et *s'avalanche* jusqu'au palier suivant.

Freddy se relève d'un bond. Il descend les marches quatre à quatre, saute au-dessus du corps *paillassonné* du militaire d'où émane une bordée de jurons, et s'engage vers les étages inférieurs.

– Reviens ici, espèce de morveux ! hurle M. Michel en se relevant douloureusement. Quand je t'aurai corrigé, même un steak haché ne voudra pas t'adopter !

Freddy a un demi-étage d'avance.

Les pas de son poursuivant résonnent derrière lui. S'il attendait une occasion de battre son record du cent mètres, c'est maintenant !

Deuxième étage. Freddy continue sa course.

Nouveau palier.

Premier étage. Garder le rythme sans s'emmêler les pieds.

Dernières marches, derniers efforts, avant le rez-de-chaussée. Bientôt la liberté... Freddy s'arrête. Il *glisse* deux ou trois marches, se retient à la rampe. En bas de l'escalier, le commandant Hole l'attend. L'imper rabattu sur son uniforme. Les bras écartés. Le buste droit et solide.

– On dirait que j'arrive à temps, dit-il sans vraiment prendre la peine d'articuler.

Freddy n'est qu'à deux mètres de lui. Aucune chance.

– Je vais te tuer ! menace une voix dans son dos.

M. Michel surgit sur le palier supérieur. Il brandit son pistolet. Entraîné par son élan, il rate son virage et frappe le mur d'en face d'un violent coup d'épaule. Le coup de feu part aussitôt. Un coup de tonnerre. Une explosion. Le commandant Hole se couche instantanément à terre. Un réflexe conditionné par un long entraînement. L'impact de la balle fait voler un morceau de plâtre au-dessus de la porte qui donne sur la cour.

Freddy saute les dernières marches, atterrit sur le dos du commandant qui s'apprêtait à se relever.

– Aaah ! hurle ce dernier en appréciant davantage la douceur du carrelage.

Freddy court vers la porte.

– Je tire, mon commandant ? Je tire ? demande M. Michel.

– Non, imbécile ! Vous avez commis suffisamment d'erreurs pour aujourd'hui !

C'est la dernière phrase que Freddy entend.

Maintenant, il est dans la cour du collège.

Il sprinte droit devant lui. Sans se retourner.

Vite, il faut sortir d'ici.

Vite.

19

Moral à moins mille

Mercredi – 16 h 50

Lisa est couchée. Perdue sous sa couette. Encore habillée.

Anne entrouvre la porte de sa chambre.

– Lisa ?… Freddy est là.

Le visage de Lisa apparaît difficilement. Un bout de nez. Rien de plus.

– Tu peux lui dire de monter ?

– Bien sûr… Tu as besoin de quelque chose ? Tu as faim ?

– Non, Maman. Merci.

Anne referme la porte de la chambre. Le visage serré. Anne est inquiète. L'enlèvement de Mona, elle a encore du mal à y croire. Elle a accompagné Lisa au commissariat de police. Mais elle n'en a pas appris beaucoup plus. Puis elle a essayé d'en parler avec son mari. Elle sait qu'un lien unit Mona et Lisa même si elle en ignore la nature. Elle sait que Boris travaillait pour le même groupe militaire que Gérard. Mais après l'arrivée de Lisa, elle a voulu oublier et se persuader que sa fille était une enfant comme les autres. Alors Lisa est-elle aussi en danger ? Vont-ils tenter de la reprendre ? De reprendre son enfant ? Doit-elle dire la vérité à Lisa ?... Gérard n'a répondu à aucune de ses questions. Il a peur, lui aussi. Au point d'en perdre l'usage de la parole.

Anne fait entrer Freddy.

– Lisa t'attend. Elle est dans sa chambre.

Freddy connaît la maison. Inutile de l'accompagner.

Inutile également de l'interroger, de lui faire raconter. La même histoire que celle de Lisa. Celle à laquelle personne ne peut croire.

Anne attrape sa veste et quitte sa maison. Elle a besoin de se sentir utile. Elle va retourner voir Laurence. Laurence ne devrait pas rester seule chez elle. Après le père de la petite, c'est Mona qui disparaît. Comme si le sort s'acharnait sur cette famille. Ou ce qu'il en reste.

On n'a pas le droit de toucher aux enfants.

« Ils n'ont pas le droit », pense Anne en s'éloignant.

Freddy a rejoint Lisa. Enfin... la forme de Lisa. Cette montagne aplatie recouverte d'une couette fleurie.

– Tu as tout raconté à la police ? demande la voix étouffée.

– Tout ce que j'ai vu ou entendu. Moi, je n'y comprends rien, et la police n'a pas l'air d'être beaucoup plus éclairée.

– Ça ne m'étonne pas.

– Mais toi, tu pourrais peut-être m'expliquer ?

– Ça ne servirait à rien. Personne ne peut aider Mona.

La réponse est catégorique. Freddy décide d'attendre un peu avant d'y revenir.

– J'ai croisé Pierre-Louis. Il tirait une tête de mort-vivant. Mais il m'a quand même dit que son père n'était au courant de rien.

– Évidemment.

– Le principal a seulement été prévenu quand la police est venue récupérer les deux truands bloqués sur leur élévateur.

Lisa ne fait plus de commentaire.

Immobile sous sa couette.

– Mais qui est M. Michel ? Et l'homme que j'ai croisé en bas de l'escalier ? « Le commandant », c'est ça ? Personne ne les a vus à part toi et moi. Même la balle a disparu du mur. Je n'ai pas rêvé, tout de même ? Lisa ? Dis-moi ce que tu sais !

– Je ne sais rien.

Freddy soupire. Découragé.

– Tu veux bien que j'allume la radio ? Ils vont sûrement en parler au flash d'infos.

– Si tu veux, fait Lisa en attrapant son oreiller pour se recouvrir la tête.

« *... Sur 103.4, c'est dans Ta ville, c'est Ta musique, c'est Ta FM... Dix-sept heures sur TFM, les infos avec Thomas Bourdieu... Conflit Israëlo-palestinien : encore trois nouvelles victimes. À Matignon, le ministre des transports a reçu les représentants syndicaux de la SNCF. Un accord devrait être trouvé et l'appel à la grève levé. Football : L'OM connaîtra aujourd'hui son* *nouvel entraîneur... Mais commençons comme tous les jours par une information locale. Une adolescente aurait bien été enlevée ce matin devant le collège Paul-Féval. Selon la police, il s'agirait d'un cambriolage qui aurait mal tourné. La veille, un homme se serait fait passer pour un professeur remplaçant et aurait ensuite permis à ses deux complices de s'introduire dans le collège. Cet homme, qui pourrait être l'auteur de l'enlèvement, a pour l'instant disparu. Toutefois la police n'exclut pas, non plus, la thèse de la fugue qui semble plus vraisemblable. Hélas, nous n'en saurons pas davantage car nous venons d'apprendre, de source officielle, que les deux malfaiteurs arrêtés par la police se sont échappés à midi, lors de leur transfert vers le commissariat central, avant d'avoir pu être interrogés. Affaire à suivre, donc... Le conflit au Proche-Orient vient encore de faire de nouvelles...* »

Freddy éteint la radio.

– Affaire classée, murmure Lisa.

– Mais... Que se passe-t-il, Lisa ? Pourquoi les journalistes ne parlent-ils pas de la voiture qui a enlevé Mona ? Tu l'as bien vue. Et Jérémy aussi. Il me l'a dit !

– Aucune preuve, Freddy. Les passants me regardaient hurler.

– Qui se cache derrière tous ces gens, Lisa ? Qui a intérêt à enlever Mona ? Sa mère est milliardaire ? Où alors c'est son père ? C'est lui le président ?

– Je n'en sais rien.

– Je n'en suis pas si sûr. Sinon, tu te poserais autant de questions que moi.

– Maintenant laisse-moi, s'il te plaît.

Freddy accuse le coup :

– Je croyais que tu me faisais confiance...

Lisa sort la tête de sa couette. Les yeux rougis.

– Je ne fais confiance à personne, assure-t-elle. Même pas à mes parents, si tu veux tout savoir.

– ... Je voudrais seulement t'aider.

– Alors, va-t'en. J'ai besoin d'être seule.

– Mais...

– Si tu veux vraiment m'aider, laisse-moi.

Freddy hoche la tête. Les lèvres serrées.

Déçu et inquiet, il sort de la chambre et quitte la maison.

Lisa ouvre le tiroir de sa table de nuit. Elle attrape l'enveloppe dérobée dans l'atelier. Une lettre adressée à son père. Elle la déplie. Elle n'a pas encore osé la lire. Elle voulait la découvrir avec Mona. Ensemble. Trop tard, à présent.

Monsieur,

Vous trouverez ci-joint tous les documents légaux nécessaires à l'adoption de la sœur jumelle de Mona. Les modifications apportées à sa carte génétique ont, comme prévu, effacé toute ressemblance ; vous pourrez donc très prochainement accueillir votre fille.

Le général Kox vous recevra personnellement le lundi 02 juin à 9 h 00 pour vous transmettre les informations nécessaires au bon déroulement de l'opération « Mona Lisa ».

En vous remerciant, vous et votre épouse, pour votre collaboration.

Recevez, monsieur, l'expression de nos salutations distinguées.

Commandant Hole – La Division

Lisa ferme les yeux. Prise d'un vertige.

Mona est sa sœur. Sa sœur jumelle. Boris est son père. Laurence sa véritable mère.

Comment est-ce possible ?

La mère de Mona s'en souviendrait ! Elle en aurait parlé à Mona. Elles se disent tout.

Sœurs jumelles, séparées à la naissance… Ou avant ?

Lisa pleure sans pouvoir dire exactement pourquoi. Des larmes chaudes qui tombent en cascade.

Trop de choses se bousculent dans sa tête. Ses parents ne sont pas ses vrais parents.

On a modifié sa carte génétique : voilà pourquoi elle ne ressemble pas à Mona.

Lisa se sent vide. Elle a soudain l'impression de ne pas exister.

Onze ans qu'on lui ment.

Mais maintenant, tout devient clair.

Il ne reste qu'une seule pensée dans sa tête. Une seule.

Allongée dans son lit, elle attend. Elle attend une vision, un signe de sa sœur. Sa jumelle. Elle attendra le temps qu'il faudra.

« Non, Mona, je ne t'abandonnerai pas », jure-t-elle.

20

Le blues de Freddy

Mercredi – 17 h 25

Freddy rentre chez lui. Les baskets collées au bitume.

Freddy a le blues.

Un vrai blues. Celui qui fait pleurer les guitares et hurler les cordes vocales rocailleuses des chanteurs noirs.

Moral au fond du caniveau.

Le coup de pied facile.

Pour une poubelle, un chien un peu hargneux, un vieux carton…

Freddy tente de se contrôler.

De ne pas céder à la tentation.

Il traverse le centre commercial, les mains dans les poches. La tête enfoncée dans le col de son blouson.

– Hé ! Ho ! Freddy ! Freddyyy !

La voix aiguë d'Élisabeth lui fait oublier un instant ses soucis.

Pas ses envies de meurtre !

– Freddy, j'ai appriiis ! C'est dinnnngue !

Élisabeth est surexcitée. Élisabeth est trop heureuse de pouvoir enfin être mêlée à l'événement. Élisabeth est bientôt rejointe par ses trois consœurs. Elles supplient Freddy de tout raconter. Freddy a sauvé Lisa, Pierre-Louis et Jérémy qui étaient aussi dans le collège ! Il n'a rien pu faire pour Mona. C'est affreux. Abominable. Élisabeth est bouleversée, il faut ab-so-lu-ment faire quelque chose…

Allez, Freddy, raconte. Tu es un héros. C'est l'occasion rêvée.

Elles n'attendent que ça.

Tous tes « amis » n'attendent que ça.

– Viens, on va à la salle de jeux, l'invite Élisabeth. Tout le monde est là.

Élisabeth lui tient déjà le bras.

Freddy libère délicatement son radius et son cubitus. Il reprend ce qui lui appartient. Sa peine, pour commencer.

– Peut-être une autre fois, dit-il poliment.

Il s'éloigne.

Élisabeth marmonne quelques phrases désagréables. Freddy ne l'entend pas ; il continue sa traversée du centre commercial. Puis se sont les rues soudain si grises. Freddy rentre chez lui. Peut-être va-t-il opter pour la méthode de Lisa : couché sous la couette.

Freddy ne relève la tête qu'une fois arrivé devant son immeuble.

Jérémy piétine le trottoir devant le hall.

– Qu'est-ce que tu fais ici ?

La Glu se plante devant Freddy. Incapable de prononcer un mot. Les lunettes embuées par son malheur.

– Il faut retrouver Mona, articule-t-il péniblement.

Puis il s'effondre dans les bras de Freddy. La Glu n'y comprend rien. Rien à toute cette histoire. Des tonnes de questions auxquelles Freddy n'a pas de réponse.

Juste ses bras, celui qu'il a repris à Élisabeth, et l'autre, pour soutenir son ami.

– Arrête, tu vas ruiner mon blouson, lâche Freddy.

La Glu renifle.

Les mains de Freddy sur les épaules.

– Monte, on va discuter, lui propose Freddy.

– M... Merci, bafouille La Glu.

– Pas de quoi, mon vieux.

Ensemble, ils poussent la porte de l'immeuble.

Histoire d'accorder leur blues.

21

Du rififi chez les Destreuil

Mercredi – 17 h 30

Louis-Hubert Destreuil a retrouvé sa maison. Une maison familiale du XVIIIe, reposante. Un parc arboré. Une grille en fer forgé à l'entrée.

Les chaussures du principal font craquer le parquet.

Exceptionnellement, il a oublié de les enlever et d'enfiler ses chaussons en feutre gris.

Louis-Hubert Destreuil raccroche son téléphone. Il vient d'avoir une longue discussion avec la mère de Mona. Il a tenté de la rassurer. Il faut garder espoir. La police va retrouver sa fille. C'est certain.

Une suite sans fin de mensonges.

Louis-Hubert Destreuil évite de croiser son image dans le grand miroir accroché au-dessus de la cheminée du salon. Il évite aussi de parler à sa femme. Assez de mensonges pour aujourd'hui.

Le visage fatigué, il se retire. Direction la chambre. Besoin d'être seul. Après les questions de la police, de l'inspecteur d'académie, du maire, des journalistes, des parents... Louis-Hubert Destreuil pose la main sur la poignée de sa chambre, espérant y trouver enfin le repos.

– Papa, je voudrais te parler.

– Pierre-Louis, ce n'est pas le m...

– Je sais tout. Je t'ai entendu discuter avec ce Hole.

Louis-Hubert Destreuil vient de prendre dix ans de plus. Sans espérance de retraite anticipée.

– Pourquoi as-tu donné cette lettre à Mona ?

– Pour... Pour te protéger. Si j'avais refusé, ils t'auraient fait du mal.

– Tu savais que c'était un piège.

– Ils voulaient que j'apporte cette lettre à Mona car ils savaient qu'elle avait confiance en moi.

– Et tu as sacrifié Mona pour moi ?

– Il n'y avait pas d'autre solution.

– Tu n'as pas essayé d'en trouver.

– Ils m'ont promis que Mona retrouverait son père.

– Et tu les as crus ?

– Ils sont trop forts. Crois-moi, Pierre-Louis.

– Qui ça, « ils » ?

– Je ne les connais pas.

– Alors pourquoi dis-tu qu'ils sont trop forts ?

En d'autres circonstances, Louis-Hubert Destreuil aurait apprécié l'esprit critique de son fils. Aujourd'hui, ce trait de caractère est particulièrement embarrassant. Pierre-Louis reste planté devant son père, les poings sur les hanches, une colère brillante dans les yeux.

– Tu n'as plus le droit de me cacher quoi que ce soit, insiste-t-il.

– Je ne sais pas grand-chose.

– Tu me dois la vérité.

Louis-Hubert Destreuil ne réfléchit pas longtemps. Éviter le miroir, passe encore. Mais ne plus supporter le regard de son fils : non.

– J'ai voulu mener ma propre enquête sur le père de Mona, lui dit-il en ouvrant la porte de la chambre. Entre, je vais t'expliquer…

22

Une prison dorée

Mercredi – 19 h 10

– Bonsoir Mona. Alors, bien dormi ?

Mona se redresse dans son lit. Une lumière tamisée éclaire la pièce. Une pièce sans fenêtre. Une cellule. Un bureau, une chaise, un lecteur CD, des livres sur une étagère.

Une réplique presque parfaite de sa chambre.

Sans fenêtre.

– J'espère que tu apprécies cette... chambre. Nous avons fait de notre mieux pour que tu t'y sentes chez toi.

D'où sort cette voix ? Du mur ? Du plafond ? Un haut-parleur bien caché...

– Ne te lève pas trop rapidement. Les effets des tranquillisants ne sont pas encore complètement dissipés.

Mona enregistre les deux informations : elle a été droguée et il y a des caméras dissimulées dans la pièce.

– Qui êtes-vous ? demande-t-elle aux murs.

– Chaque chose en son temps... Tout d'abord, j'espère que tu ne nous en veux pas pour cette fausse lettre.

– C'était l'écriture de mon père. Je l'ai reconnue. La même que dans la grot...

Mona s'interrompt. Elle vient de comprendre.

– Dans la grotte, c'était un faux message, confirme la voix avec une satisfaction évidente.

– Laissez-moi sortir ! s'énerve Mona. Vous n'avez pas le droit de me retenir prisonnière !

La porte. Sûrement fermée à clé.

Mona s'assied sur son lit. Léger vertige. Ses deux index pressent ses tempes. Le bureau tremble, il glisse sur le sol, prend de la vitesse et s'écrase contre la porte.

– Blindage en acier, se moque la voix.

Au deuxième essai, le bureau perd un pied et se renverse sur le côté.

– À ta place, j'essayerais de me calmer, conseille la voix.

– Taisez-vous ! Personne ne m'empêchera de sortir d'ici !

La porte supporte deux nouveaux assauts. Et quand le bureau est en miettes, c'est au tour de la chaise d'éparpiller ses morceaux.

Mona s'effondre sur le lit.

Épuisée.

– La bonne nouvelle, reprend la voix, c'est que tu es toute proche de ton père.

Mona sent son cœur s'arrêter.

– La mauvaise, c'est qu'il va falloir te montrer un peu plus coopérante, si tu veux avoir une chance de le revoir.

– Vous mentez encore, se méfie Mona.

– Sois patiente, et je te donnerai la preuve que Boris Mikovaï est bien ici. À quelques mètres seulement. Tu pourras le voir, et même lui parler. Mais il faudra apprendre à te maîtriser.

– Je ferai tout ce que vous voudrez…

– C'était ce que je voulais t'entendre dire. Alors bienvenue à La Division, Mona. Ton repas te sera servi dans quelques minutes et nous reprendrons cette discussion demain... Bonne nuit.

– Attendez !... Quand verrai-je mon père ?... Hé ! Répondez !

Aucune réponse.

Plus un bruit.

Les genoux repliés à la hauteur de sa poitrine, Mona verse quelques larmes en silence. À présent, elle sait exactement ce que ressent son père. En ce moment même.

– Lisa... murmure-t-elle. Lisa, sors-moi d'ici...

Table des matières

Loi 49-956 du 16 juillet 1949
sur les publications destinées à la jeunesse

Achevé d'imprimer
par Novoprint en Espagne
Dépôt légal : 1er trimestre 2003
N° d'impression :